VOLTAIRE

From a portrait by La Tour

Heath's Modern Language Series

ZADIG

AND

OTHER STORIES

BY

VOLTAIRE

CHOSEN AND EDITED WITH AN INTRODUCTION, NOTES, AND A VOCABULARY

BY

IRVING BABBITT
PROFESSOR OF FRENCH, HARVARD UNIVERSITY

D. C. HEATH & CO., PUBLISHERS
BOSTON NEW YORK CHICAGO

Printed in U. S. A.

INTRODUCTION *

VOLTAIRE writes in 1768 regarding an edition of his works in forty-five quarto volumes that had just appeared: "Lorsque je considère tous ces énormes fatras que j'ai composés, je suis tenté de me cacher dessous et

* **Biography.** — The events of Voltaire's life in barest outline are as follows: François-Marie Arouet who assumed later the name of Voltaire, was born at Paris 21 Nov., 1694. — Becomes a pupil at the Jesuit Collège Louis-le-Grand, 1704. — Frequents the society of the *Temple* and for a number of years leads the life of a libertine of the Regency. — Accused of libelling the Regent and confined for eleven months in the Bastille, 1717. — His tragedy *Œdipe* is performed with great success, 1718. — Publishes at Rouen the first edition of his epic poem *La Ligue*, afterwards called *La Henriade*, 1723. — Quarrels with the Duc de Rohan who hires men to waylay and beat him, 1725. — Voltaire wishes to fight a duel with his insulter but the Rohans have him arrested and put into the Bastille, 1726. — Released after a short confinement on condition that he go to England. — Spends nearly three years in England where he is welcomed by the best English society, Bolingbroke, Pope, Swift, etc., 1726–1729. — Immense success at Paris of V.'s tragedy *Zaïre* which shows influence of Shakespeare, 1732. — Writes his *Histoire de Charles XII*, 1731. — Publishes his *Lettres sur les Anglais* or *Lettres philosophiques* (1734), in which under cover of describing English society V. attacks the abuses of French society and government. — The government orders the work burned by the public hangman and V. is forced to go into concealment. — Enters into a *liaison* with Madame du Châtelet and spends a great part of the years following with her at her Château de Cirey. — First perform-

je demeure tout honteux. . . . J'ai toujours dit qu'on n'allait pas à la postérité avec un aussi gros bagage." Posterity, as Voltaire foresaw, has made its selection; but this selection has scarcely been the one he would have anticipated. The *Henriade* which seemed to Frederick the Great superior as an epic to the Aeneid is forgotten. The tragedies which in the eyes of contemporaries were worthy to rank with those of Corneille and Racine have retained little more than a historical interest. The thousands of pages in which Voltaire

---

ance of his tragedy, *Alzire*, 1736. — Becomes interested in science and publishes *Eléments de la philosophie de Newton*, 1738. — Performance of *Mérope*, his greatest dramatic success next to *Zaïre*, 1743. — Wins the favor of the court and of Madame de Pompadour. — Elected member of the Academy, royal historiographer, etc., 1746. — Writes *Zadig*, 1747. — Death of the Marquise du Châtelet, 1749. — V. accepts invitation of Frederick the Great to visit Prussia and arrives at Potsdam, 10 July, 1750. — Publishes at Berlin his *Siècle de Louis XIV*, 1751. — Quarrels with Frederick and leaves Prussia, 26 March, 1753. — Takes with him a volume of Frederick's verse and the king in order to get the volume back has the poet arrested at Frankfort. — Buys the estate of Ferney in France near the Swiss frontier, 1758. —Makes it his ordinary place of residence from 1760–1778. — *Candide*, 1759. — Rupture with J. J. Rousseau, 1760. — Takes an active part in the Calas affair, 1762–1765. — Calas who had been condemned and executed (March, 1762) by the Parliament of Toulouse for the murder of his son, is finally, as a result of V.'s efforts declared innocent by a decree of the royal court of appeal at Paris (March, 1765) and the Calas family is rehabilitated. — V. publishes an edition of Corneille with a carping commentary, the purpose being to provide a dowry for Marie Corneille, a distant connection of the poet, 1764.— *L'Ingénu, roman*, 1768. — *Lettre de M. Voltaire à l'Académie française*, violent attack on Shakespeare, apropos of Letourneur's translation, 1776.

assails Christianity are comparatively little read nowadays even by that anti-clerical party in France that has fallen heir to Voltaire's spirit. His historical writings — especially the *Histoire de Charles XII* and the *Siècle de Louis XIV* — have fared better; but the works in which Voltaire makes his chief appeal to the modern reader are the somewhat secondary forms of composition in which he was least hampered by academic convention — the epistle and epigram, the satire and the "philosophical" tale and, we should hasten to add what is, on

---

The death of Louis XV. opens Paris to Voltaire — Arrives at the capital, Feb., 1778 and is received with extraordinary enthusiasm. — The French Comedy performs his tragedy *Irène* and at the end his bust is crowned in his presence. — Exhausted by the excitement and unwonted exertion, Voltaire now in his eighty-fourth year, dies in the midst of a "splendid and ghastly triumph" (Macaulay) during the night 30–31 May, 1778. — Burial is refused him by the church at Paris and he is finally buried at the Abbaye de Scellières in Champagne through the influence of his nephew, l'Abbé Mignot. — His remains are brought back to Paris during the Revolution (11 July, 1791) and placed in the Pantheon.

The most important **editions of Voltaire** are the Kehl edition in 70 volumes (1785–90); the Beuchot edition in 70 volumes (1828), and the Moland edition in 50 volumes (1877–83). For full bibliographical information consult *Voltaire: Bibliographie de ses œuvres* par Georges Bengesco, 4 vols. 1882.

A few of the more important **works on Voltaire** are the following: G. Desnoireterres, *Voltaire et la Société française au XVIIIe siècle* 8 vols., 1867–75. John Morley, *Voltaire*, 1874. D. F. Strauss, *Voltaire, sechs Vorträge*, 2 Aufl., 1870. Consult also the manuals of French literature by G. Lanson, Brunetière, Petit de Julleville (editor) and E. Faguet, *XVIIIe Siècle*.

For Voltaire's relations with Frederick the Great, see Macaulay's essay on Frederick and Carlyle's Life.

the whole, his most notable literary achievement — his collected correspondence.[1]

A number of Voltaire's philosophical tales have ranked almost from their first appearance as masterpieces of light narrative. In *Zadig* especially he has carried the eighteenth century *conte* to its final perfection. In the *conte*, a setting that is usually somewhat fantastic and remote, and situations and characters that neither author nor reader is supposed to take too seriously, are made the vehicle of light satire; this satire is conveyed in a style that is itself all point and brilliancy — the so-called *style coupé* in such marked contrast with the longer and more elaborate sentences of the age of Louis XIV. The whole is most often seasoned to the taste of the time by a dash of license. This latter element is almost completely absent from *Zadig*, which differs notably in this respect from *Candide*, perhaps the most famous of all Voltaire's stories. However, it is not so much the licentious tone of *Candide* as the gaiety with which Voltaire depicts the folly and wretchedness of human kind that gives the book its peculiar Mephistophelian flavor.

Voltaire says in one of his letters that a man to be happy needs to have the "body of an athlete and the soul of a sage." He himself had neither. He was a life-long invalid, but an invalid of the not uncommon kind that, as he says of himself, "buries all his doctors" and outlives most of his athletic friends. So far from being a sage, Voltaire has like Rousseau, his great companion

[1] Both in quality and extent Voltaire's correspondence is one of the most remarkable monuments in literature. The Moland edition contains 10,465 letters and the collection is far from complete.

figure in eighteenth century thought, such various and grave blemishes of character that, as M. Brunetière puts it, we are tempted when we think of the one always to prefer the other. Yet here again Voltaire atones in part for his lack of real wisdom and his moral shortcomings by his admirable good sense in dealing with details and by no small amount of active beneficence. It was his efforts in behalf of the Calas family and other victims of injustice, his transformation of Ferney from a forlorn hamlet of fifty inhabitants to a flourishing community of twelve hundred that gave him the right to say of himself in his old age:

"J'ai fait un peu de bien; c'est mon meilleur ouvrage."

Voltaire claimed to believe in the Deity but the quality of his religious faith is sufficiently revealed in his saying that "if God did not exist we should have to invent him." In *Zadig* we have Voltaire in his most edifying mood, and in the closing chapters he actually seems to be attempting a justification of the ways of God to man. Yet even here we should not forget that much of the point of the story lies in the persistent "But —" that Zadig keeps opposing to the explanations of the Angel Jesrad. In his ordinary moods Voltaire is inclined to refer the unaccountable happenings of life, not to an inscrutable Providence, but to what he terms His Sacred Majesty, Chance. His real philosophy finds expression not so much in the utterances of the Angel Jesrad as in the sardonic agnosticism of Candide, the disillusioned optimist, and especially in Candide's famous final summing up of all wisdom: "Il faut cultiver notre jardin."

Voltaire would himself have defined his life-work as the warfare upon prejudice — a warfare that he is prepared if necessary to carry on in the next world as he has in this:

"S'ils ont des préjugés, j'en guérirai les ombres."

He lived in an intensely rationalistic age, and like the other men of his time, was prone to neglect both what is above and what is below the reason, to set down as mere prejudice everything that cannot give a satisfactory account of itself when summoned to the bar of a superficial good-sense. "Is there anything more respectable than an ancient abuse" asks Sétoc. "Reason is still more ancient" Zadig replies. But for the modern student who has acquired that sympathetic understanding of the past practically unknown to the eighteenth century, the ancient custom or belief that Voltaire would discard as an abuse has always its reason and often its justification in history. "Prejudice," as Taine puts it "is frequently a reason that is ignorant of itself." Similarly Burke praises the English people for its "unalterable perseverance in the wisdom of prejudice."

Voltaire's own attack was mainly upon what is above the reason, on what he conceived to be prejudice in matters of religion. Faith in the supernatural — especially as embodied in the forms and beliefs of the Catholic Church — was in his eyes synonymous with superstition and intolerance. His chief strength in his warfare upon the church lay in his powers of mockery and ridicule; and this strength had its root in large measure in what must be accounted Voltaire's chief weakness — his utter lack of respect and reverence. At times he and his followers carried on their crusade against Catholicism in a spirit that would justify one in applying to them the saying of Dean Swift: "Some men under the notion of weeding out prejudices, eradicate virtue, honesty and religion."

It was especially during the last twenty years of his life that Voltaire assumed a more important role than that of mere man of letters; as "patriarch" of Ferney he became the head of a European coalition of free-thinkers and treated on almost even terms with potentates like Frederick the Great and Catherine of Russia, himself

> "A king that ruled as he thought fit
> The universal monarchy of wit."

Macaulay thus describes in his own rhetorical fashion the closing period of Voltaire's career: "He took refuge on the beautiful shores of Lake Leman. There, loosed from every tie which had hitherto restrained him, and having little to fear from courts or churches, he began his long war upon all that, whether for good or evil, had authority over man; for what Burke said of the Constituent Assembly was eminently true of this its great forerunner: Voltaire could not build: he could only pull down: he was the very Vitruvius of ruin. He has bequeathed to us not a single doctrine to be called by his name, not a single addition to the stock of our positive knowledge. But no human teacher ever left behind him so vast and terrible a wreck of truths and falsehoods, of things noble and things base, of things useful and things pernicious. From the time when his sojourn beneath the Alps commenced, the dramatist, the wit, the historian, was merged in a more important character. He was now the patriarch, the founder of a sect, the chief of a conspiracy, the prince of a wide intellectual commonwealth." Macaulay adds elsewhere in the same essay:

"In truth of all the intellectual weapons which have ever been wielded by man, the most terrible was the mockery of Voltaire. Bigots and tyrants, who had never been moved by the wailing and cursing of millions, turned pale at his name. Principles unassailable by reason, principles which had withstood the fiercest attacks of power, the most valuable truths, the most generous sentiments, the noblest and most graceful images, the purest reputations, the most august institutions, began to look mean and loathsome as soon as that withering smile was turned upon them. To every opponent, however strong in his cause and talents, in his station and his character, who ventured to encounter the great scoffer, might be addressed the caution which was given of old to the Archangel:

> "I forewarn thee, shun
> His deadly arrow; neither vainly hope
> To be invulnerable in those bright arms,
> Though temper'd heavenly; for that fatal dint,
> Save Him who reigns above, none can resist."

If one were writing of Voltaire for Frenchmen, one would need to lay emphasis on his deficiencies — his temperamental irreverence and his lack of sense for everything that transcends the ordinary reason. A superficial Voltairianism is to-day one of the chief perils of France. The French Philistine has a natural leaning toward the kind of shallow free-thinking that Flaubert has immortalized in his figure of M. Homais, and which has led someone to say that Voltaire is the king of wits and the god of fools. On the other hand, in presenting Voltaire to English or American readers, the proper point of view is rather that of Matthew Arnold who remarks that we are in no danger of catching Voltaire's vices and are seriously in need of many of his virtues. Voltaire will always occupy an important place in literature as one of the most finished of prose writers, and as the foremost wit of the wittiest age the world has ever seen. In addition to this general value, he has the special merit of being in an unusual degree representative of his race. He is certainly not the greatest Frenchman, but it is hard to avoid agreeing with the two most eminent of modern critics, Goethe and Sainte-Beuve,[1] that he is the most typical.

[1] For both Goethe's and Sainte-Beuve's opinion of Voltaire see *Causeries du lundi*, vol. xv, p. 210 (note).

ROMANS DE VOLTAIRE

ZADIG
OU
LA DESTINÉE
HISTOIRE ORIENTALE
(1747)

ÉPÎTRE DÉDICATOIRE DE ZADIG À LA SULTANE SHERAA[1]
PAR SADI

Le 18 du mois de schewal, l'an 837 de l'Hégire.[2]

CHARME des prunelles, tourment des cœurs, lumière de l'esprit, je ne baise point la poussière de vos pieds, parce que vous ne marchez guère, ou que vous marchez sur des tapis d'Iran ou sur des roses. Je vous offre la traduction d'un livre d'un ancien sage qui, 5 ayant le bonheur de n'avoir rien à faire, eut celui de s'amuser à écrire l'histoire de Zadig, ouvrage qui dit plus qu'il ne semble dire. Je vous prie de le lire et d'en juger; car, quoique vous soyez dans le printemps de votre vie, quoique tous les plaisirs vous 10 cherchent, quoique vous soyez belle, et que vos talents ajoutent à votre beauté, quoiqu'on vous loue du soir au matin, et que par toutes ces raisons vous soyez en droit de n'avoir pas le sens commun, cependant vous avez l'esprit très sage et le goût très fin et je vous ai 15 entendue raisonner mieux que de vieux derviches à longue barbe et à bonnet pointu. Vous êtes discrète et vous n'êtes point défiante; vous êtes douce sans être faible; vous êtes bienfaisante avec discernement;

vous aimez vos amis, et vous ne vous faites point d'ennemis. Votre esprit n'emprunte jamais ses agréments des traits de la médisance; vous ne dites de mal ni n'en faites, malgré la prodigieuse facilité que vous
5 y auriez. Enfin votre âme m'a toujours paru pure comme votre beauté. Vous avez même un petit fonds de philosophie qui m'a fait croire que vous prendriez plus de goût qu'une autre à cet ouvrage d'un sage.

Il fut écrit d'abord en ancien chaldéen, que ni vous
10 ni moi n'entendons. On le traduisit en arabe, pour amuser le célèbre sultan Ouloug-beb. C'était du temps où les Arabes et les Persans commençaient à écrire des *Mille et une nuits,* des *Mille et un jours,* etc. Ouloug aimait mieux la lecture de *Zadig;* mais
15 les sultanes aimaient mieux les *Mille et un.* Comment pouvez-vous préférer, leur disait le sage Ouloug, des contes qui sont sans raison, et qui ne signifient rien? — C'est précisément pour cela que nous les aimons, répondaient les sultanes.

20 Je me flatte que vous ne leur ressemblerez pas, et que vous serez un vrai Ouloug. J'espère même que, quand vous serez lasse des conversations générales, qui ressemblent assez aux *Mille et un,* à cela près qu'elles sont moins amusantes, je pourrai trouver une
25 minute pour avoir l'honneur de vous parler raison. Si vous aviez été Thalestris[1] du temps de Scander, fils de Philippe; si vous aviez été la reine de Sabée du temps de Soleiman, c'eussent été ces rois qui auraient fait le voyage.

30 Je prie les vertus célestes que vos plaisirs soient sans mélange, votre beauté durable, et votre bonheur sans fin.

SADI.

CHAPITRE I

LE BORGNE

Du temps du roi Moabdar il y avait à Babylone un jeune homme nommé Zadig, né avec un beau naturel fortifié par l'éducation. Quoique riche et jeune, il savait modérer ses passions ; il n'affectait rien ; il ne voulait point toujours avoir raison, et savait respecter la faiblesse des hommes. On était étonné de voir qu'avec beaucoup d'esprit il n'insultât jamais par des railleries à ces propos si vagues, si rompus, si tumultueux, à ces médisances téméraires, à ces décisions ignorantes, à ces turlupinades[1] grossières, à ce vain bruit de paroles, qu'on appelait *conversation* dans Babylone. Il avait appris, dans le premier livre de Zoroastre, que l'amour-propre est un ballon gonflé de vent, dont il sort des tempêtes quand on lui a fait une piqûre. Zadig surtout ne se vantait pas de mépriser les femmes et de les subjuguer. Il était généreux ; il ne craignait point d'obliger des ingrats, suivant ce grand précepte de Zoroastre : *Quand tu manges, donne à manger aux chiens, dussent-ils te mordre.* Il était aussi sage qu'on peut l'être ; car il cherchait à vivre avec des sages. Instruit dans les sciences des anciens Chaldéens, il n'ignorait pas les principes physiques de la nature, tels qu'on les connaissait alors, et savait de la métaphysique ce qu'on en a su dans tous les âges, c'est-à-dire fort peu de chose. Il était fermement persuadé que l'année était de trois cent soixante et cinq jours et un quart, malgré la nouvelle philosophie de son temps; et que le soleil était au centre du monde; et quand les principaux mages lui disaient, avec une hauteur insultante, qu'il avait de mauvais sentiments, et que c'était être ennemi de l'État que de croire que le soleil tournait sur lui-même, et que l'année avait douze mois, il se taisait sans colère et sans dédain.

Zadig, avec de grandes richesses, et par conséquent avec des amis, ayant de la santé, une figure aimable, un esprit juste et modéré, un cœur sincère et noble, crut qu'il pouvait être heureux. Il devait se marier à Sémire, que sa beauté, sa naissance et sa fortune rendaient le premier parti de Babylone. Il avait pour elle un attachement solide et vertueux, et Sémire l'aimait avec passion. Ils touchaient au moment fortuné qui allait les unir, lorsque, se promenant ensemble vers une porte de Babylone, sous les palmiers qui ornaient les rivages de l'Euphrate, ils virent venir à eux des hommes armés de sabres et de flèches. C'étaient les satellites du jeune Orcan, neveu d'un ministre, à qui les courtisans de son oncle avaient fait accroire que tout lui était permis. Il n'avait aucune des grâces ni des vertus de Zadig; mais, croyant valoir beaucoup mieux, il était désespéré de n'être pas préféré. Cette jalousie, qui ne venait que de sa vanité, lui fit penser qu'il aimait éperdument Sémire. Les ravisseurs la saisirent; et dans les emportements de leur violence ils la blessèrent, et firent couler le sang d'une personne dont la vue aurait attendri les tigres du mont Imaüs.[1]

Elle perçait le ciel de ses plaintes. Elle s'écriait: Mon cher époux! on m'arrache à ce que j'adore. Elle n'était point occupée de son danger; elle ne pensait 5 qu'à son cher Zadig. Celui-ci, dans le même temps, la défendait avec toute la force que donnent la valeur et l'amour. Aidé seulement de deux esclaves, il mit les ravisseurs en fuite, et ramena chez elle Sémire, évanouie et sanglante, qui en ouvrant les yeux vit son 10 libérateur. Elle lui dit: O Zadig! je vous aimais comme mon époux, je vous aime comme celui à qui je dois l'honneur et la vie. Jamais il n'y eut un cœur plus pénétré que celui de Sémire; jamais bouche plus ravissante n'exprima des sentiments plus touchants 15 par ces paroles de feu qu'inspirent le sentiment du plus grand des bienfaits et le transport le plus tendre de l'amour le plus légitime. Sa blessure était légère; elle guérit bientôt. Zadig était blessé plus dangereusement; un coup de flèche reçu près de l'œil lui 20 avait fait une plaie profonde. Sémire ne demandait aux dieux que la guérison de son amant. Ses yeux étaient nuit et jour baignés de larmes: elle attendait le moment où ceux de Zadig pourraient jouir de ses regards; mais un abcès survenu à l'œil blessé fit tout 25 craindre. On envoya jusqu'à Memphis chercher le grand médecin Hermès, qui vint avec un nombreux cortège. Il visita le malade, et déclara qu'il perdrait l'œil; il prédit même le jour et l'heure où ce funeste accident devait arriver. Si c'eût été l'œil droit, dit-il, 30 je l'aurais guéri; mais les plaies de l'œil gauche sont incurables. Tout Babylone, en plaignant la destinée

de Zadig, admira la profondeur de la science d'Hermès. Deux jours après l'abcès perça de lui-même; Zadig fut guéri parfaitement. Hermès écrivit un livre où il lui prouva qu'il n'avait pas dû guérir.
5 Zadig ne le lut point, mais, dès qu'il put sortir, il se prépara à rendre visite à celle qui faisait l'espérance du bonheur de sa vie, et pour qui seule il voulait avoir des yeux. Sémire était à la campagne depuis trois jours. Il apprit en chemin que cette belle dame,
10 ayant déclaré hautement qu'elle avait une aversion insurmontable pour les borgnes, venait de se marier à Orcan la nuit même. A cette nouvelle il tomba sans connaissance; sa douleur le mit au bord du tombeau; il fut longtemps malade; mais enfin la raison l'em-
15 porta sur son affliction, et l'atrocité de ce qu'il éprouvait servit même à le consoler.

Puisque j'ai essuyé, dit-il, un si cruel caprice d'une fille élevée à la cour, il faut que j'épouse une citoyenne. Il choisit Azora, la plus sage et la mieux née de la
20 ville; il l'épousa, et vécut un mois avec elle dans les douceurs de l'union la plus tendre. Seulement il remarquait en elle un peu de légèreté, et beaucoup de penchant à trouver toujours que les jeunes gens les mieux faits étaient ceux qui avaient le plus d'esprit
25 et de vertu.

CHAPITRE II

LE NEZ

Un jour Azora revint d'une promenade, tout en colère, et faisant de grandes exclamations. Qu'avez-vous, lui dit-il, ma chère épouse? qui vous peut mettre ainsi hors de vous-même? — Hélas! dit-elle, vous seriez indigné comme moi, si vous aviez vu le spectacle dont je viens d'être témoin. J'ai été consoler la jeune veuve Cosrou, qui vient d'élever, depuis deux jours, un tom- 5 beau à son jeune époux auprès du ruisseau qui borde cette prairie. Elle a promis aux dieux, dans sa douleur de demeurer auprès de ce tombeau tant que l'eau de ce ruisseau coulerait auprès. — Eh bien! dit Zadig, voilà une femme estimable qui aimait véritablement 10 son mari! — Ah! reprit Azora, si vous saviez à quoi elle s'occupait quand je lui ai rendu visite! — A quoi donc, belle Azora? — Elle faisait détourner le ruisseau. Azora se répandit en des invectives si longues, éclata en reproches si violents contre la jeune veuve, que ce 15 faste de vertu ne plut pas à Zadig.

Il avait un ami, nommé Cador, qui était un de ces jeunes gens à qui sa femme trouvait plus de probité et de mérite qu'aux autres: il le mit dans sa confidence, et s'assura, autant qu'il le pouvait, de sa fidé- 20 lité par un présent considérable. Azora, ayant passé deux jours chez une de ses amies à la campagne, revint le troisième jour à la maison. Des domestiques en pleurs lui annoncèrent que son mari était mort subitement, la nuit même, qu'on n'avait pas osé lui 25 porter cette funeste nouvelle, et qu'on venait d'ensevelir Zadig dans le tombeau de ses pères, au bout du jardin. Elle pleura, s'arracha les cheveux, et jura de mourir. Le soir, Cador lui demanda la permission de lui parler, et ils pleurèrent tous deux. Le lende- 30 main, ils pleurèrent moins et dînèrent ensemble. Cador lui confia que son ami lui avait laissé la plus grande partie de son bien, et lui fit entendre qu'il mettrait son bonheur à partager sa fortune avec elle. La dame pleura, se fâcha, s'adoucit; le souper fut plus long que le dîner; on se parla avec plus 5 de confiance. Azora fit l'éloge du défunt: mais elle avoua qu'il avait des défauts dont Cador était exempt.

Au milieu du souper, Cador se plaignit d'un mal de rate violent; la dame, inquiète et empressée, fit apporter toutes les essences dont elle se parfumait, pour essayer s'il n'y en avait pas quelqu'une qui fût bonne pour le mal de rate: elle regretta beaucoup que le grand Hermès ne fût pas encore à Babylone. — Êtes-vous sujet à cette cruelle maladie? lui dit-elle avec compassion. — Elle me met quelquefois au bord du tombeau, lui répondit Cador, et il n'y a qu'un seul remède qui puisse me soulager: c'est de m'appliquer sur le côté le nez d'un homme qui soit mort la veille. — Voilà un étrange remède, dit Azora. — Pas plus étrange, répondit-il que les sachets du sieur Arnoult contre l'apoplexie.[1] Cette raison, jointe à l'extrême mérite du jeune homme, détermina enfin la dame. — Après tout, dit-elle, quand mon mari passera du monde d'hier dans le monde du lendemain sur le pont Tchinavar, l'ange Asrael lui accordera-t-il moins le passage parce que son nez sera un peu moins long dans la seconde vie que dans la première? Elle prit donc un rasoir; elle alla au tombeau de son époux, l'arrosa de ses larmes, et s'approcha pour couper le nez à Zadig, qu'elle trouva tout étendu dans la tombe. Zadig se relève en tenant son nez d'une main, et arrêtant le rasoir de l'autre. Madame, lui dit-il, ne criez plus tant contre la jeune Cosrou; le projet de me couper le nez vaut bien celui de détourner un ruisseau.

CHAPITRE III

LE CHIEN ET LE CHEVAL

Zadig éprouva que le premier mois du mariage, comme il est écrit dans le livre du Zend, est la lune de miel, et que le second est la lune de l'absinthe. Il fut quelque temps après obligé de répudier Azora qui était devenue trop difficile à vivre,[1] et il chercha son bonheur dans l'étude de la nature. Rien n'est plus heureux, disait-il, qu'un philosophe qui lit dans ce grand livre que Dieu a mis sous nos yeux. Les vérités qu'il découvre sont à lui: il nourrit et il élève son âme, il vit tranquille; il ne craint rien des hommes, et sa tendre épouse ne vient point lui couper le nez.

Plein de ces idées, il se retira dans une maison de campagne sur les bords de l'Euphrate. Là, il ne s'occupait pas à calculer combien de pouces d'eau coulaient en une seconde sous les arches d'un pont, ou s'il tombait une ligne cube de pluie dans le mois de la souris plus que dans le mois du mouton. Il n'imaginait point de faire de la soie avec des toiles d'araignée, ni de la porcelaine avec des bouteilles cassées;[2] mais il étudia surtout les propriétés des animaux et des plantes, et il acquit bientôt une sagacité qui lui découvrait mille différences où les autres hommes ne voient rien que d'uniforme.

Un jour, se promenant auprès d'un petit bois, il

vit accourir à lui un eunuque de la reine, suivi de plusieurs officiers qui paraissaient dans la plus grande inquiétude, et qui couraient çà et là comme des hommes égarés qui cherchent ce qu'ils ont perdu de plus
5 précieux. — Jeune homme, lui dit le premier eunuque, n'avez-vous point vu le chien de la reine? Zadig répondit modestement: C'est une chienne, et non pas un chien. — Vous avez raison, reprit le premier eunuque. — C'est une épagneule très petite, ajouta
10 Zadig; elle boite du pied gauche de devant, et elle a les oreilles très longues. — Vous l'avez donc vue? dit le premier eunuque tout essoufflé. — Non, répondit Zadig, je ne l'ai jamais vue, et je n'ai jamais su si la reine avait une chienne.

15 Précisément dans le même temps, par une bizarrerie ordinaire de la fortune, le plus beau cheval de l'écurie du roi s'était échappé des mains d'un palefrenier dans les plaines de Babylone. Le grand veneur et tous les autres officiers couraient après lui
20 avec autant d'inquiétude que le premier eunuque après la chienne. Le grand veneur s'adressa à Zadig, et lui demanda s'il n'avait point vu passer le cheval du roi. — C'est, répondit Zadig, le cheval qui galope le mieux; il a cinq pieds de haut, le sabot fort petit;
25 il porte une queue de trois pieds et demi de long; les bossettes de son mors sont d'or à vingt-trois carats; ses fers sont d'argent à onze deniers.[1] — Quel chemin a-t-il pris? où est-il? demanda le grand veneur. — Je ne l'ai point vu, répondit Zadig, et je n'en ai jamais
30 entendu parler.

Le grand veneur et le premier eunuque ne doutèrent pas que Zadig n'eût volé le cheval du roi et la chienne de la reine ; ils le firent conduire devant l'assemblée du grand Desterham, qui le condamna au knout, et à passer le reste de ses jours en Sibérie. A peine le jugement fut-il rendu qu'on retrouva le cheval et la chienne. Les juges furent dans la douloureuse nécessité de réformer leur arrêt ; mais ils condamnèrent Zadig à payer quatre cents onces d'or, pour avoir dit qu'il n'avait point vu ce qu'il avait vu. Il fallut d'abord payer cette amende ; après quoi il fut permis à Zadig de plaider sa cause au conseil du grand Desterham ; il parla en ces termes :

« Étoiles de justice, abîmes de sciences, miroirs de vérité, qui avez la pesanteur du plomb, la dureté du fer, l'éclat du diamant, et beaucoup d'affinité avec l'or, puisqu'il m'est permis de parler devant cette auguste assemblée, je vous jure par Orosmade que je n'ai jamais vu la chienne respectable de la reine, ni le cheval sacré du roi des rois. Voici ce qui m'est arrivé : Je me promenais vers le petit bois où j'ai rencontré depuis le vénérable eunuque et le très illustre grand veneur. J'ai vu sur le sable les traces d'un animal, et j'ai jugé aisément que c'étaient celles d'un petit chien. Des sillons légers et longs, imprimés sur de petites éminences de sable entre les traces des pattes, m'ont fait connaître que c'était une chienne dont les mamelles étaient pendantes. D'autres traces en un sens différent, qui paraissaient toujours avoir rasé la surface du sable à côté des pattes de devant, m'ont appris qu'elle avait les oreilles très longues ; et comme j'ai remarqué que le sable était toujours moins creusé par une patte que les trois autres, j'ai compris que la chienne de notre auguste reine était un peu boiteuse, si je l'ose dire.

« A l'égard du cheval du roi des rois, vous saurez que, me promenant dans les routes de ce bois, j'ai aperçu les marques des fers d'un cheval ; elles étaient toutes à égales distances. Voilà, ai-je dit, un cheval qui a un galop parfait. La poussière des arbres, dans une route étroite qui n'a que sept pieds de large, était un peu enlevée à droite et à gauche, à trois pieds et demi du milieu de la route. Ce cheval, ai-je dit, a une queue de trois pieds et demi, qui, par ses mouvements de droite et de gauche, a balayé cette poussière. J'ai vu sous les arbres, qui formaient un berceau de cinq pieds de haut, les feuilles des branches nouvellement tombées ; et j'ai connu que ce cheval y avait touché, et qu'ainsi il avait cinq pieds de haut. Quant à son mors, il doit être d'or à vingt-trois carats ; car il en a frotté les bossettes contre une pierre que j'ai reconnue être une pierre de touche, et dont j'ai fait l'essai. J'ai jugé enfin, par les marques que ses fers ont laissées sur des cailloux d'une autre espèce, qu'il était ferré d'argent à onze deniers de fin.»

Tous les juges admirèrent le profond et subtil discernement de Zadig, la nouvelle en vint jusqu'au roi et à la reine. On ne parlait que de Zadig dans les antichambres, dans la chambre et dans le cabinet ; et quoique plusieurs mages opinassent qu'on devait le brûler comme sorcier, le roi ordonna qu'on lui rendît l'amende des quatre cents onces d'or à laquelle il avait été condamné. Le greffier, les huissiers, les procureurs vinrent chez lui en grand appareil lui rapporter ces quatre cents onces ; ils en retinrent seulement trois cent quatre-vingt-dix-huit pour les frais de justice, et leurs valets demandèrent des honoraires.

Zadig vit combien il était dangereux quelquefois d'être trop savant, et se promit bien, à la première occasion, de ne point dire ce qu'il avait vu.

Cette occasion se trouva bientôt. Un prisonnier d'État s'échappa; il passa sous les fenêtres de sa maison. On interrogea Zadig, il ne répondit rien; mais on lui prouva qu'il avait regardé par la fenêtre. Il fut condamné pour ce crime à cinq cents onces d'or, et il remercia ses juges de leur indulgence, selon la coutume de Babylone.

Grand Dieu! dit-il en lui-même, qu'on est à plaindre quand on se promène dans un bois où la chienne de la reine et le cheval du roi ont passé! qu'il est dangereux de se mettre à la fenêtre! et qu'il est difficile d'être heureux dans cette vie!

CHAPITRE IV

L'ENVIEUX

Zadig voulut se consoler, par la philosophie et par l'amitié, des maux que lui avait faits la fortune. Il avait dans un faubourg de Babylone une maison ornée avec goût, où il rassemblait tous les arts et tous les plaisirs dignes d'un honnête homme. Le matin sa bibliothèque était ouverte à tous les savants: le soir, sa table l'était à la bonne compagnie; mais il connut bientôt combien les savants sont dangereux; il s'éleva une grande dispute sur une loi de Zoroastre, qui défendait de manger du griffon. — Comment défendre le griffon, disaient les uns, si cet animal n'existe pas? — Il faut bien qu'il existe, disaient les autres, puisque

Zoroastre ne veut pas qu'on en mange. Zadig voulut les accorder en leur disant: S'il y a des griffons, n'en mangeons point; s'il n'y en a point, nous en mangerons encore moins; et par là nous obéirons tous
5 à Zoroastre.

Un savant qui avait composé treize volumes sur les propriétés du griffon, et qui de plus était grand théurgite,[1] se hâta d'aller accuser Zadig devant un archimage nommé Yébor,[2] le plus sot des Chaldéens,
10 et partant le plus fanatique. Cet homme aurait fait empaler Zadig pour la plus grande gloire du soleil, et en aurait récité le bréviaire de Zoroastre d'un ton plus satisfait. L'ami Cador (un ami vaut mieux que cent prêtres) alla trouver le vieux Yébor et lui
15 dit:

Vivent le soleil et les griffons! gardez-vous bien de punir Zadig: c'est un saint; il a des griffons dans sa basse-cour, et il n'en mange point; et son accusateur est un hérétique qui ose soutenir que les lapins ont
20 le pied fendu, et ne sont point immondes. — Eh bien! dit Yébor en branlant sa tête chauve, il faut empaler Zadig pour avoir mal pensé des griffons, et l'autre pour avoir mal parlé des lapins. Cador apaisa l'affaire par le moyen d'une fille d'honneur qui avait
25 beaucoup de crédit dans le collège des mages. Personne ne fut empalé, de quoi plusieurs docteurs murmurèrent, et en présagèrent la décadence de Babylone. Zadig s'écria: A quoi tient le bonheur! tout me persécute dans ce monde, jusqu'aux êtres qui n'existent
30 pas. Il maudit les savants, et ne voulut plus vivre qu'en bonne compagnie.

Il rassemblait chez lui les plus honnêtes gens de

Babylone, et les dames les plus aimables : il donnait des soupers délicats, souvent précédés de concerts, et animés par des conversations charmantes dont il avait su bannir l'empressement de montrer de l'esprit qui est la plus sûre manière de n'en point avoir, et de gâter la société la plus brillante. Ni le choix de ses amis, ni celui des mets, n'étaient faits par la vanité ; car en tout il préférait l'être au paraître, et par là il s'attirait la considération véritable à laquelle il ne prétendait pas.

Vis-à-vis sa maison demeurait Arimaze, personnage dont la méchante âme était peinte sur sa grossière physionomie. Il était rongé de fiel et bouffi d'orgueil, et pour comble, c'était un bel esprit ennuyeux. N'ayant jamais pu réussir dans le monde, il se vengeait par en médire. Tout riche qu'il était, il avait de la peine à rassembler chez lui les flatteurs. Le bruit des chars qui entraient le soir chez Zadig l'importunait, le bruit de ses louanges l'irritait davantage. Il allait quelquefois chez Zadig, et se mettait à table sans être prié : il y corrompait toute la joie de la société, comme on dit que les harpies infectent les viandes qu'elles touchent. Il lui arriva un jour de vouloir donner une fête à une dame qui, au lieu de la recevoir, alla souper chez Zadig. Un autre jour, causant avec lui dans le palais, ils abordèrent un ministre qui pria Zadig à souper, et ne pria point Arimaze. Les plus implacables haines n'ont pas souvent des fondements plus importants. Cet homme, qu'on appelait l'*Envieux* dans Babylone voulut perdre Zadig parce qu'on l'appelait l'*Heureux*. L'occasion de faire le mal se trouve cent fois par jour, et celle de faire du bien une fois dans l'année, comme dit Zoroastre.

L'Envieux alla chez Zadig, qui se promenait dans ses jardins avec deux amis et une dame à laquelle il
5 disait souvent des choses galantes, sans autre intention que celle de les dire. La conversation roulait sur une guerre que le roi venait de terminer heureusement contre le prince d'Hyrcanie, son vassal. Zadig, qui avait signalé son courage dans cette courte guerre,
10 louait beaucoup le roi et encore plus la dame. Il prit ses tablettes et écrivit quatre vers qu'il fit sur-le-champ, et qu'il donna à lire à cette belle personne. Ses amis le prièrent de leur en faire part : la modestie, ou plutôt un amour-propre bien entendu l'en empêcha.
15 Il savait que des vers impromptus ne sont jamais bons que pour celle en l'honneur de qui ils sont faits : il brisa en deux la feuille des tablettes sur laquelle il venait d'écrire, et jeta les deux moitiés dans un buisson de roses, où on les chercha inutilement. Une
20 petite pluie survint ; on regagna la maison. L'Envieux, qui resta dans le jardin, chercha tant, qu'il trouva un morceau de la feuille. Elle avait été tellement rompue, que chaque moitié de vers qui remplissait la ligne faisait un sens, et même un vers d'une
25 plus petite mesure ; mais par un hasard encore plus étrange, ces petits vers se trouvaient former un sens qui contenait les injures les plus horribles contre le roi ; on y lisait :

Par les plus grands forfaits
30 Sur le trône affermi,
Dans la publique paix
C'est le seul ennemi.

L'Envieux fut heureux pour la première fois de sa vie. Il avait entre les mains de quoi perdre un homme vertueux et aimable. Plein de cette cruelle joie, il fit parvenir jusqu'au roi cette satire écrite de la main de Zadig: on le fit mettre en prison, lui, ses deux amis et la dame. Son procès lui fut bientôt fait, sans qu'on daignât l'entendre. Lorsqu'il vint recevoir sa sentence, l'Envieux se trouva sur son passage, et lui dit tout haut que ses vers ne valaient rien. Zadig ne se piquait pas d'être bon poète; mais il était au désespoir d'être condamné comme criminel de lèse-majesté, et de voir qu'on retint en prison une belle dame et deux amis pour un crime qu'il n'avait pas fait. On ne lui permit pas de parler, parce que ses tablettes parlaient. Telle était la loi de Babylone. On le fit donc aller au supplice à travers une foule de curieux dont aucun n'osait le plaindre, et qui se précipitaient pour examiner son visage, et pour voir s'il mourrait avec bonne grâce. Ses parents seulement étaient affligés, car ils n'héritaient pas. Les trois quarts de son bien étaient confisqués au profit du roi, et l'autre quart au profit de l'Envieux.

Dans le temps qu'il se préparait à la mort, le perroquet du roi s'envola de son balcon, et s'abattit dans le jardin de Zadig sur un buisson de roses. Une pèche y avait été portée d'un arbre voisin par le vent; elle était tombée sur un morceau de tablettes à écrire auquel elle s'était collée. L'oiseau enleva la pêche et la tablette, et les porta sur les genoux du monarque. Le prince curieux y lut des mots qui ne formaient aucun sens, et qui paraissaient des fins de vers. Il aimait la poésie, et il y a toujours de la ressource avec les princes qui aiment les vers : l'aventure de son perroquet le fit rêver. La reine, qui se souvenait de ce qui avait été écrit sur une pièce de la tablette de Zadig, se la fit apporter.

5 On confronta les deux morceaux, qui s'ajustaient ensemble parfaitement ; on lut alors les vers tels que Zadig les avait faits :

> Par les plus grands forfaits j'ai vu troubler la terre.
> Sur le trône affermi, le roi sait tout dompter.
> 10 Dans la publique paix l'amour seul fait la guerre :
> C'est le seul ennemi qui soit à redouter.

Le roi ordonna aussitôt qu'on fît venir Zadig devant lui, et qu'on fît sortir de prison ses deux amis et la belle dame. Zadig se jeta le visage contre terre, aux 15 pieds du roi et de la reine : il leur demanda très humblement pardon d'avoir fait de mauvais vers : il parla avec tant de grâce, d'esprit et de raison, que le roi et la reine voulurent le revoir. Il revint, et plut encore davantage. On lui donna tous les biens de l'Envieux, 20 qui l'avait injustement accusé : mais Zadig les rendit tous ; et l'Envieux ne fut touché que du plaisir de ne pas perdre son bien. L'estime du roi s'accrut de jour en jour pour Zadig. Il le mettait de tous ses plaisirs, le consultait dans toutes ses affaires. La reine le 25 regarda dès lors avec une complaisance qui pouvait devenir dangereuse pour elle, pour le roi son auguste époux, pour Zadig, et pour le royaume. Zadig commençait à croire qu'il n'est pas si difficile d'être heureux.

CHAPITRE V

LES GÉNÉREUX

Le temps arriva où l'on célébrait une grande fête qui revenait tous les cinq ans. C'était la coutume à Babylone de déclarer solennellement, au bout de cinq années, celui des citoyens qui avait fait l'action la plus généreuse. Les grands et les mages étaient les juges. Le premier satrape, chargé du soin de la ville, exposait les plus belles actions qui s'étaient passées sous son gouvernement. On allait aux voix : le roi prononçait le jugement. On venait à cette solennité des extrémités de la terre. Le vainqueur recevait des mains du monarque une coupe d'or garnie de pierreries, et le roi lui disait ces paroles : « Recevez ce prix de la générosité, et puissent les dieux me donner beaucoup de sujets qui vous ressemblent ! »

Ce jour mémorable venu, le roi parut sur son trône, environné des grands, des mages, et des députés de toutes les nations, qui venaient à ces jeux où la gloire s'acquérait, non par la légèreté des chevaux, non par la force du corps, mais par la vertu. Le premier satrape rapporta à haute voix les actions qui pouvaient mériter à leurs auteurs ce prix inestimable. Il ne parla point de la grandeur d'âme avec laquelle Zadig avait rendu à l'Envieux toute sa fortune : ce n'était pas une action qui méritât de disputer le prix.

Il présenta d'abord un juge qui, ayant fait perdre un procès considérable à un citoyen, par une méprise dont il n'était pas même responsable, lui avait donné tout son bien, qui était la valeur de ce que l'autre avait perdu.

Il produisit ensuite un jeune homme qui, étant éperdument épris d'une fille qu'il allait épouser, l'avait
5 cédée à un ami près d'expirer d'amour pour elle, et qui avait encore payé la dot en cédant la fille.

Ensuite il fit paraître un soldat qui, dans la guerre d'Hyrcanie, avait donné encore un plus grand exemple de générosité. Des soldats ennemis lui enlevaient sa
10 maîtresse, et il la défendait contre eux: on vint lui dire que d'autres Hyrcaniens enlevaient sa mère à quelques pas de là: il quitta en pleurant sa maîtresse, et courut délivrer sa mère: il retourna ensuite vers celle qu'il aimait, et la trouva expirante. Il voulut se tuer;
15 sa mère lui remontra qu'elle n'avait que lui pour tout secours, et il eut le courage de souffrir la vie.

Les juges penchaient pour ce soldat. Le roi prit la parole, et dit: Son action et celles des autres sont belles, mais elles ne m'étonnent point; hier Zadig
20 en a fait une qui m'a étonné. J'avais disgracié depuis quelques jours mon ministre et mon favori Coreb. Je me plaignais de lui avec violence, et tous mes courtisans m'assuraient que j'étais trop doux; c'était à qui me dirait le plus de mal de Coreb. Je demandai
25 à Zadig ce qu'il en pensait, et il osa en dire du bien. J'avoue que j'ai vu, dans nos histoires, des exemples qu'on a payé de son bien une erreur, qu'on a cédé sa maîtresse, qu'on a préféré une mère à l'objet de son amour; mais je n'ai jamais lu qu'un courtisan ait
30 parlé avantageusement d'un ministre disgracié contre qui son souverain était en colère. Je donne vingt mille pièces d'or à chacun de ceux dont on vient de ré-

citer les actions généreuses; mais je donne la coupe à Zadig.

— Sire, lui dit-il, c'est Votre Majesté seule qui mérite la coupe, c'est elle qui a fait l'action la plus inouïe, puisque étant roi vous ne vous êtes point fâché contre votre esclave, lorsqu'il contredisait votre passion. On admira le roi et Zadig. Le juge qui avait donné son bien, l'amant qui avait marié sa maîtresse à son ami, le soldat qui avait préféré le salut de sa mère à celui de sa maîtresse, reçurent les présents du monarque; ils virent leurs noms écrits dans le livre des généreux; Zadig eut la coupe. Le roi acquit la réputation d'un bon prince, qu'il ne garda pas longtemps. Ce jour fut consacré par des fêtes plus longues que la loi ne le portait. La mémoire s'en conserve encore dans l'Asie. Zadig disait: Je suis donc enfin heureux! Mais il se trompait.

CHAPITRE VI

LE MINISTRE

Le roi avait perdu son premier ministre. Il choisit Zadig pour remplir cette place. Toutes les belles dames de Babylone applaudirent à ce choix, car depuis la fondation de l'empire il n'y avait jamais eu de ministre si jeune. Tous les courtisans furent fâchés; l'Envieux en eut un crachement de sang, et le nez lui enfla prodigieusement. Zadig ayant remercié le roi et la reine, alla remercier aussi le perroquet. — Bel oiseau, lui dit-il, c'est vous qui m'avez sauvé la vie, et qui m'avez fait premier ministre: la chienne et le cheval de leurs Majestés m'avaient fait beaucoup de mal, mais vous m'avez fait du bien. Voilà donc de quoi dépendent les destins des hommes! Mais, ajouta-t-il, un bonheur si étrange sera peut-être bientôt evanoui. Le perroquet répondit: Oui. Ce mot frappa Zadig. Cependant, comme il était bon physicien,[1] et qu'il ne croyait pas que les perroquets fussent prophètes, il se rassura bientôt; il se mit à exercer son ministère de son mieux.

Il fit sentir à tout le monde le pouvoir sacré des lois, et ne fit sentir à personne le poids de sa dignité. Il ne gêna point les voix du divan, et chaque vizir pouvait avoir un avis sans lui déplaire. Quand il jugeait une affaire, ce n'était pas lui qui jugeait, c'était la loi; mais, quand elle était trop sévère, il la tempérait; et, quand on manquait de lois, son équité en faisait qu'on aurait prises pour celles de Zoroastre.

C'est de lui que les nations tiennent ce grand principe: Qu'il vaut mieux hasarder de sauver un coupable que de condamner un innocent. Il croyait que les lois étaient faites pour secourir les citoyens autant que pour les intimider. Son principal talent était de démêler la vérité, que tous les hommes cherchent à obscurcir. Dès les premiers jours de son administration il mit ce grand talent en usage. Un fameux négociant de Babylone était mort aux Indes; il avait fait ses héritiers ses deux fils par portions égales, après avoir marié leur sœur, et il laissait un présent de trente mille pièces d'or à celui de ses deux fils qui serait jugé l'aimer davantage. L'aîné lui bâtit un tombeau, le second augmenta d'une partie de son héritage la dot de sa sœur; chacun disait: C'est l'aîné qui aime le mieux son père, le cadet aime mieux sa sœur; c'est à l'aîné qu'appartiennent les trente mille pièces.

Zadig les fit venir tous deux l'un après l'autre. Il dit à l'aîné: Votre père n'est point mort; il est guéri de sa dernière maladie, il revient à Babylone. — Dieu soit loué, répondit le jeune homme; mais voilà un tombeau qui m'a coûté bien cher! Zadig dit ensuite la même chose au cadet. — Dieu soit loué! répondit-il, je vais rendre à mon père tout ce que j'ai, mais je voudrais qu'il laissât à ma sœur ce que je lui ai donné. — Vous ne rendrez rien, dit Zadig, et vous aurez les trente mille pièces; c'est vous qui aimez le mieux votre père.

Il venait tous les jours des plaintes à la cour contre l'itimadoulet[1] de Médie, nommé *Irax*. C'était un grand seigneur dont le fond n'était pas mauvais, mais qui était corrompu par la vanité et par la volupté. Il souffrait rarement qu'on lui parlât, et jamais qu'on l'osât contredire. Les paons ne sont pas plus vains, les colombes ne sont pas plus voluptueuses, les tortues ont moins de paresse; il ne respirait que la fausse gloire et les faux plaisirs: Zadig entreprit de le corriger.

Il lui envoya de la part du roi un maître de musique avec douze voix et vingt-quatre violons,[2] un maître d'hôtel avec six cuisiniers, et quatre chambellans, qui ne devaient pas le quitter. L'ordre du roi portait que l'étiquette suivante serait inviolablement observée; et voici comme les choses se passèrent.

Le premier jour, dès que le voluptueux Irax fut

éveillé, le maître de musique entra, suivi des voix et des violons: on chanta une cantate qui dura deux heures, et, de trois minutes en trois minutes, le refrain était:

5 Que son mérite est extrême!
Que de grâces! que de grandeur!
Ah! combien monseigneur
Doit être content de lui-même!

Après l'exécution de la cantate, un chambellan lui
10 fit une harangue de trois quarts d'heure, dans laquelle on le louait expressément de toutes les bonnes qualités qui lui manquaient. La harangue finie, on le conduisit à table au son des instruments. Le dîner dura trois heures; dès qu'il ouvrit la bouche pour parler,
15 le premier chambellan dit: Il aura raison. A peine eut-il prononcé quatre paroles que le second chambellan s'écria: Il a raison. Les deux autres chambellans firent de grands éclats de rire des bons mots qu'Irax avait dits ou qu'il avait dû dire. Après dîner
20 on lui répéta la cantate.

Cette première journée lui parut délicieuse, il crut que le roi des rois l'honorait selon ses mérites; la seconde lui parut moins agréable; la troisième fut gênante; la quatrième fut insupportable; la cin-
25 quième fut un supplice: enfin, outré d'entendre toujours chanter: Ah! combien monseigneur doit être content de lui-même! d'entendre toujours dire qu'il avait raison, et d'être harangué chaque jour à la même heure, il écrivit en cour pour supplier le roi qu'il
30 daignât rappeler ses chambellans, ses musiciens, son maître d'hôtel: il promit d'être désormais moins vain

et plus appliqué ; il se fit moins encenser, eut moins de fêtes, et fut plus heureux : car, comme dit le Sadder,[1] toujours du plaisir n'est pas du plaisir.

CHAPITRE VII

LES DISPUTES ET LES AUDIENCES

C'est ainsi que Zadig montrait tous les jours la subtilité de son génie et la bonté de son âme ; on l'admirait, et cependant on l'aimait. Il passait pour le plus fortuné de tous les hommes, tout l'empire était rempli de son nom : toutes les femmes le lorgnaient ; tous les citoyens célébraient sa justice ; les savants le regardaient comme leur oracle ; les prêtres même avouaient qu'il en savait plus que le vieux archimage Yébor. On était bien loin alors de lui faire des procès sur les griffons ; on ne croyait que ce qui lui semblait croyable.

Il y avait une grande querelle dans Babylone qui durait depuis quinze cents années, et qui partageait l'empire en deux sectes opiniâtres : l'une prétendait qu'il ne fallait jamais entrer dans le temple de Mithra que du pied gauche ; l'autre avait cette coutume en abomination, et n'entrait jamais que du pied droit. On attendait le jour de la fête solennelle du feu sacré pour savoir quelle secte serait favorisée par Zadig. L'univers avait les yeux sur ses deux pieds, et toute la ville était en agitation et en suspens. Zadig entra dans le temple en sautant à pieds joints, et il prouva ensuite par un discours éloquent que le Dieu du ciel et de la terre, qui n'a acception de personne, ne fait

pas plus de cas de la jambe gauche que de la jambe droite. L'Envieux et sa femme prétendirent que dans son discours il n'y avait pas assez de figures, qu'il n'avait pas fait assez danser les montagnes et les col-
5 lines. Il est sec et sans génie, disaient-ils ; on ne voit chez lui ni la mer s'enfuir, ni les étoiles tomber, ni le soleil se fondre comme de la cire :[1] il n'a point le bon style oriental. Zadig se contentait d'avoir le style de la raison. Tout le monde fut pour lui, non pas parce
10 qu'il était dans le bon chemin, non pas parce qu'il était raisonnable, non pas parce qu'il était aimable, mais parce qu'il était premier vizir.

Il termina aussi heureusement le grand procès entre les mages blancs et les mages noirs. Les blancs
15 soutenaient que c'était une impiété de se tourner, en priant Dieu, vers l'orient d'hiver ; les noirs assuraient que Dieu avait en horreur les prières des hommes qui se tournaient vers le couchant d'été. Zadig ordonna qu'on se tournât comme on voudrait.

20 Il trouva ainsi le secret d'expédier le matin les affaires particulières et générales ; le reste du jour il s'occupait des embellissements de Babylone ; il faisait représenter des tragédies où l'on pleurait, et des comédies où l'on riait ; ce qui était passé de mode
25 depuis longtemps, et ce qu'il fit renaître parce qu'il avait du goût. Il ne prétendait pas en savoir plus que les artistes ; il les récompensait par des bienfaits et des distinctions, et n'était point jaloux en secret de leurs talents. Le soir il amusait beaucoup le roi, et
30 surtout la reine. Le roi disait : Le grand ministre ! la reine disait : L'aimable ministre ! et tous deux ajoutaient : C'eût été grand dommage qu'il eût été pendu.

Cependant Zadig s'apercevait qu'il avait toujours des distractions quand il donnait des audiences, et quand il jugeait: il ne savait à quoi les attribuer; c'était là sa seule peine.

Il eut un songe: il lui semblait qu'il était couché d'abord sur des herbes sèches, parmi lesquelles il y en avait quelques-unes de piquantes qui l'incommodaient; et qu'ensuite il reposait mollement sur un lit de roses, dont il sortait un serpent qui le blessait au cœur de sa langue acérée et envenimée. Hélas! disait-il, j'ai été longtemps couché sur ces herbes sèches et piquantes, je suis maintenant sur le lit de roses; mais quel sera le serpent?

CHAPITRE VIII

LA JALOUSIE

Le malheur de Zadig vint de son bonheur même, et surtout de son mérite. Il avait tous les jours des entretiens avec le roi et avec Astarté, son auguste épouse. Les charmes de sa conversation redoublaient encore par cette envie de plaire qui est à l'esprit ce que la parure est à la beauté; sa jeunesse et ses grâces firent insensiblement sur Astarté une impression dont elle ne s'aperçut pas d'abord. Sa passion croissait dans le sein de l'innocence. Astarté se livrait sans scrupule et sans crainte au plaisir de voir et d'entendre un homme cher à son époux et à l'État: elle ne cessait de le vanter au roi; elle en parlait à ses femmes, qui enchérissaient encore sur ses louanges: tout servait à enfoncer dans son cœur le trait qu'elle ne sentait

pas. Elle faisait des présents à Zadig, dans lesquels il entrait plus de galanterie qu'elle ne pensait; elle croyait ne lui parler qu'en reine contente de ses services, et quelquefois ses expressions étaient d'une
5 femme sensible.

Astarté était beaucoup plus belle que cette Sémire qui haïssait tant les borgnes, et que cette autre femme qui avait voulu couper le nez à son époux. La familiarité d'Astarté, ses discours tendres, dont elle com-
10 mençait à rougir, ses regards, qu'elle voulait détourner, et qui se fixaient sur les siens, allumèrent dans le cœur de Zadig un feu dont il s'étonna. Il combattit; il appela à son secours la philosophie, qui l'avait toujours secouru; il n'en tira que des lumières, et n'en
15 reçut aucun soulagement. Le devoir, la reconnaissance, la majesté souveraine violée, se présentaient à ses yeux comme des dieux vengeurs: il combattait, il triomphait; mais cette victoire, qu'il fallait remporter à tout moment, lui coûta des gémissements et
20 des larmes. Il n'osait plus parler à la reine avec cette douce liberté qui avait eu tant de charmes pour tous deux: ses yeux se couvraient d'un nuage; ses discours étaient contraints et sans suite: il baissait la vue; et quand malgré lui, ses regards se tournaient
25 vers Astarté, ils rencontraient ceux de la reine mouillés de pleurs, dont il partait des traits de flamme; ils semblaient se dire l'un à l'autre: Nous nous adorons, et nous craignons de nous aimer; nous brûlons tous deux d'un feu que nous condamnons.

30 Zadig sortait d'auprès d'elle, égaré, éperdu, le cœur surchargé d'un fardeau qu'il ne pouvait plus porter: dans la violence de ses agitations, il laissa pénétrer

son secret à son ami Cador, comme un homme qui, ayant soutenu longtemps les atteintes d'une vive douleur, fait enfin connaître son mal par un cri qu'un redoublement aigu lui arrache, et par la sueur froide qui coule sur son front.

Cador lui dit : J'ai déjà démêlé les sentiments que vous vouliez vous cacher à vous-même ; les passions ont des signes auxquels on ne peut se méprendre. Jugez, mon cher Zadig, puisque j'ai lu dans votre cœur, si le roi n'y découvrira pas un sentiment qui l'offense. Il n'a d'autre défaut que celui d'être le plus jaloux des hommes. Vous résistez à votre passion avec plus de force que la reine ne combat la sienne, parce que vous êtes philosophe, et parce que vous êtes Zadig. Astarté est femme ; elle laisse parler ses regards avec d'autant plus d'imprudence qu'elle ne se croit pas encore coupable. Malheureusement rassurée sur son innocence, elle néglige des dehors nécessaires. Je tremblerai pour elle tant qu'elle n'aura rien à se reprocher. Si vous étiez d'accord l'un et l'autre, vous sauriez tromper tous les yeux : une passion naissante et combattue éclate ; un amour satisfait sait se cacher. Zadig frémit à la proposition de trahir le roi, son bienfaiteur ; et jamais il ne fut plus fidèle à son prince que quand il fut coupable envers lui d'un crime involontaire. Cependant la reine prononçait si souvent le nom de Zadig, son front se couvrait de tant de rougeur en le prononçant, elle était tantôt si animée, tantôt si interdite, quand elle lui parlait en présence du roi ; une rêverie si profonde s'emparait d'elle quand il était sorti, que le roi fut troublé. Il crut tout ce qu'il voyait et imagina tout

ce qu'il ne voyait point. Il remarqua surtout que les babouches de sa femme étaient bleues, et que les babouches de Zadig étaient bleues, que les rubans de sa femme étaient jaunes, et que le bonnet de Zadig
5 était jaune: c'étaient là de terribles indices pour un prince délicat. Les soupçons se tournèrent en certitude dans son esprit aigri.

Le monarque ne songea plus qu'à la manière de se venger. Il résolut une nuit d'empoisonner la reine,
10 et de faire mourir Zadig par le cordeau au point du jour. L'ordre en fut donné à un impitoyable eunuque, exécuteur de ses vengeances. Il y avait alors dans la chambre du roi un petit nain qui était muet, mais qui n'était pas sourd. On le souffrait toujours:
15 il était témoin de ce qui se passait de plus secret, comme un animal domestique. Ce petit muet était très attaché à la reine et à Zadig. Il entendit, avec autant de surprise que d'horreur, donner l'ordre de leur mort. Mais comment faire pour prévenir cet
20 ordre effroyable, qui allait s'exécuter dans peu d'heures? Il ne savait pas écrire; mais il avait appris à peindre, et savait surtout faire ressembler. Il passa une partie de la nuit à crayonner ce qu'il voulait faire entendre à la reine. Son dessin repré-
25 sentait le roi agité de fureur, dans un coin du tableau, donnant des ordres à son eunuque; un cordeau bleu et un vase sur une table, avec des rubans jaunes; la reine, dans le milieu du tableau, expirante entre les bras de ses femmes; et Zadig étranglé
30 à ses pieds. L'horizon représentait un soleil levant pour marquer que cette horrible exécution devait se faire aux premiers rayons de l'aurore. Dès qu'il eut

fini cet ouvrage, il courut chez une femme d'Astarté, la réveilla, et lui fit entendre qu'il fallait dans l'instant même porter ce tableau à la reine.

Cependant, au milieu de la nuit, on vient frapper à la porte de Zadig; on le réveille; on lui donne un billet de la reine; il doute si c'est un songe; il ouvre la lettre d'une main tremblante. Quelle fut sa surprise, et qui pourrait exprimer la consternation et le désespoir dont il fut accablé quand il lut ces paroles: « Fuyez, dans l'instant même, ou l'on va vous arracher la vie! Fuyez, Zadig, je vous l'ordonne au nom de notre amour et de mes rubans jaunes. Je n'étais point coupable; mais je sens que je vais mourir criminelle.»

Zadig eut à peine la force de parler. Il ordonna qu'on fît venir Cador; et, sans lui rien dire, il lui donna ce billet. Cador le força d'obéir et de prendre sur-le-champ la route de Memphis: Si vous osez aller trouver la reine, lui dit-il, vous hâtez sa mort; si vous parlez au roi, vous la perdez encore. Je me charge de sa destinée; suivez la vôtre. Je répandrai le bruit que vous avez pris la route des Indes. Je viendrai bientôt vous trouver, et je vous apprendrai ce qui se sera passé à Babylone.

Cador, dans le moment même, fit placer deux dromadaires des plus légers à la course vers une porte secrète du palais; il y fit monter Zadig, qu'il fallut porter, et qui était près de rendre l'âme. Un seul domestique l'accompagna; et bientôt Cador, plongé dans l'étonnement et dans la douleur, perdit son ami de vue.

Cet illustre fugitif, arrivé sur le bord d'une colline

d'où on voyait Babylone, tourna la vue sur le palais de la reine, et s'évanouit; il ne reprit ses sens que pour verser des larmes, et pour souhaiter la mort. Enfin, après s'être occupé de la destinée déplorable de la plus aimable des femmes et de la première reine du monde, il fit un mouvement de retour sur lui-même, et s'écria: Qu'est-ce donc que la vie humaine? O vertu! à quoi m'avez-vous servi? Deux femmes m'ont indignement trompé; la troisième, qui n'est point coupable et qui est plus belle que les autres, va mourir! Tout ce que j'ai de bien a toujours été pour moi une source de malédictions, et je n'ai été élevé au comble de la grandeur que pour tomber dans le plus horrible précipice de l'infortune. Si j'eusse été méchant comme tant d'autres, je serais heureux comme eux. Accablé de ces réflexions funestes, les yeux chargés du voile de la douleur, la pâleur de la mort sur le visage, et l'âme abimée dans l'excès d'un sombre désespoir, il continuait son voyage vers l'Égypte.

CHAPITRE IX

LA FEMME BATTUE

Zadig dirigeait sa route sur les étoiles. La constellation d'Orion et le brillant astre de Sirius le guidaient vers le pôle de Canope.[1] Il admirait ces vastes globes de lumière qui ne paraissent que de faibles étincelles à nos yeux, tandis que la terre, qui n'est en effet qu'un point imperceptible dans la nature, paraît à notre cupidité quelque chose de si grand et de si noble. Il se figurait alors les hommes tels qu'ils sont en effet, des insectes se dévorant les uns les autres sur un petit atome de boue.[1] Cette image vraie semblait anéantir ses malheurs, en lui retraçant le néant de son être, et celui de Babylone. Son âme s'élançait jusque dans l'infini, et contemplait, détachée de ses sens, l'ordre immuable de l'univers. Mais lorsque ensuite, rendu à lui-même et rentrant dans son cœur, il pensait qu'Astarté était peut-être morte pour lui, l'univers disparaissait à ses yeux, et il ne voyait dans la nature entière qu'Astarté mourante et Zadig infortuné. Comme il se livrait à ce flux et à ce reflux de philosophie sublime et de douleur accablante, il avançait vers les frontières de l'Égypte; et déjà son domestique fidèle était dans la première bourgade, où il lui cherchait un logement. Zadig cependant se promenait vers les jardins qui bordaient ce village. Il vit, non loin du grand chemin, une femme éplorée qui appelait le ciel et la terre à son secours, et un homme furieux qui la suivait. Elle était déjà atteinte par lui, elle embrassait ses genoux. Cet homme l'accablait de coups et de reproches. Il jugea, à la violence de l'Égyptien et au pardon réitéré que lui demandait la dame, que l'un était un jaloux et l'autre une infidèle; mais, quand il eut considéré cette femme, qui était d'une beauté touchante, et qui même ressemblait un peu à la malheureuse Astarté, il se sentit pénétré de compassion pour elle et d'horreur pour l'Égyptien. — Secourez-moi, s'écria-t-elle à Zadig avec des sanglots; tirez-moi des mains du plus barbare des hommes, sauvez-moi la vie.

A ces cris Zadig courut se jeter entre elle et ce

barbare. Il avait quelque connaissance de la langue égyptienne. Il lui dit en cette langue : Si vous avez quelque humanité, je vous conjure de respecter la beauté et la faiblesse. Pouvez-vous outrager ainsi un chef-d'œuvre de la nature, qui est à vos pieds, et qui n'a pour sa défense que des larmes ? — Ah ! lui dit cet emporté, tu l'aimes donc aussi ! et c'est de toi qu'il faut que je me venge. En disant ces paroles, il laisse la dame, qu'il tenait d'une main par les cheveux, et prenant sa lance, il veut en percer l'étranger. Celui-ci, qui était de sang-froid, évita aisément le coup d'un furieux. Il se saisit de la lance près du fer dont elle est armée. L'un veut la retirer, l'autre l'arracher. Elle se brise entre leurs mains. L'Égyptien tire son épée ; Zadig s'arme de la sienne. Ils s'attaquent l'un l'autre. Celui-là porte cent coups précipités ; celui-ci les pare avec adresse. La dame, assise sur un gazon, rajuste sa coiffure et les regarde. L'Égyptien était plus robuste que son adversaire, Zadig était plus adroit. Celui-ci se battait en homme dont la tête conduisait le bras, et celui-là comme un emporté dont une colère aveugle guidait les mouvements au hasard. Zadig passe à lui et le désarme ; et, tandis que l'Égyptien devenu plus furieux veut se jeter sur lui, il le saisit, le presse, le fait tomber en lui tenant l'épée sur la poitrine ; il lui offre de lui donner la vie. L'Égyptien hors de lui tire son poignard ; il en blesse Zadig dans le temps même que le vainqueur lui pardonnait. Zadig indigné lui plonge son épée dans le sein. L'Égyptien jette un cri horrible, et meurt en se débattant. Zadig alors s'avança vers la dame, et lui dit d'une voix soumise: Il m'a forcé de le tuer: je vous ai vengée; vous êtes délivrée de l'homme le plus violent que j'aie jamais vu. Que voulez-vous maintenant de moi, madame? — Que tu meures, scélérat, lui répondit-elle, que tu meures: tu as tué mon amant, je voudrais pouvoir déchirer ton cœur. — En vérité, madame, vous aviez là un étrange homme pour amant, lui répondit Zadig; il vous battait de toutes ses forces, et il voulait m'arracher la vie parce que vous m'avez conjuré de vous secourir. — Je voudrais qu'il me battît encore, reprit la dame en poussant des cris. Je le méritais bien, je lui avais donné de la jalousie. Plût au ciel qu'il me battît, et que tu fusses à sa place! Zadig, plus surpris et plus en colère qu'il ne l'avait été de sa vie, lui dit: Madame, toute belle que vous êtes, vous mériteriez que je vous battisse à mon tour, tant vous êtes extravagante; mais je n'en prendrai pas la peine. Là-dessus il remonta sur son chameau et avança vers le bourg. A peine avait-il fait quelques pas qu'il se retourne au bruit que faisaient quatre courriers de Babylone. Ils venaient à toute bride. L'un d'eux, en voyant cette femme, s'écria: C'est elle-même; elle ressemble au portrait qu'on nous en a fait. Ils ne s'embarassèrent pas du mort, et se saisirent incontinent de la dame. Elle ne cessait de crier à Zadig: Secourez-moi encore une fois, étranger généreux; je vous demande pardon de m'être plainte de vous: secourez-moi, et je suis à vous jusqu'au tombeau. L'envie avait passé à Zadig de se battre désormais pour elle. — A d'autres,[1] répondit-il, vous ne m'y attraperez plus. D'ailleurs il était blessé, son sang coulait, il avait besoin de secours; et la vue des quatre Babyloniens, probablement envoyés par le roi Moabdar, le remplissait d'inquiétude. Il s'avance en hâte vers le village, n'imaginant pas pourquoi quatre courriers de Babylone 5 venaient prendre cette Égyptienne, mais encore plus étonné du caractère de cette dame.

CHAPITRE X

L'ESCLAVAGE

Comme il entrait dans la bourgade égyptienne, il se vit entouré par le peuple. Chacun criait: Voilà celui qui a enlevé la belle Missouf, et qui vient d'as- 10 sassiner Clétofis. — Messieurs, dit-il, Dieu me préserve d'enlever jamais votre belle Missouf; elle est trop capricieuse; et, à l'égard de Clétofis, je ne l'ai point assassiné; je me suis défendu seulement contre lui. Il voulait me tuer, parce que je lui avais de- 15 mandé très humblement grâce pour la belle Missouf, qu'il battait impitoyablement. Je suis un étranger qui vient chercher un asile dans l'Égypte; et il n'y a pas d'apparence qu'en venant demander votre protection j'aie commencé par enlever une femme, et 20 par assassiner un homme.

Les Égyptiens étaient alors justes et humains. Le peuple conduisit Zadig à la maison de ville. On commença par le faire panser de sa blessure, et ensuite on l'interrogea, lui et son domestique, séparé- 25 ment, pour savoir la vérité. On reconnut que Zadig n'était point un assassin; mais il était coupable du sang d'un homme: la loi le condamnait à être esclave.

On vendit au profit de la bourgade ses deux chameaux; on distribua aux habitants tout l'or qu'il avait apporté; sa personne fut exposé en vente dans la place publique, ainsi que celle de son compagnon de voyage. Un marchand arabe, nommé Sétoc, y mit l'enchère, mais le valet, plus propre à la fatigue, fut vendu bien plus chèrement que le maître. On ne faisait pas de comparaison entre ces deux hommes. Zadig fut donc esclave subordonné à son valet: on les attacha ensemble avec une chaîne qu'on leur passa aux pieds, et en cet état ils suivirent le marchand arabe dans sa maison. Zadig, en chemin, consolait son domestique, et l'exhortait à la patience; mais, selon sa coutume, il faisait des réflexions sur la vie humaine. Je vois, lui disait-il, que les malheurs de ma destinée se répandent sur la tienne. Tout m'a tourné jusqu'ici d'une façon bien étrange. J'ai été condamné à l'amende pour avoir vu passer une chienne; j'ai pensé être[1] empalé pour un griffon; j'ai été envoyé au supplice parce que j'avais fait des vers à la louange du roi; j'ai été sur le point d'être étranglé parce que la reine avait des rubans jaunes, et me voici esclave avec toi parce qu'un brutal a battu sa maîtresse. Allons, ne perdons point courage; tout ceci finira peut-être; il faut bien que les marchands arabes aient des esclaves; et pourquoi ne le serais-je pas comme un autre, puisque je suis homme comme un autre? Ce marchand ne sera pas impitoyable; il faut qu'il traite bien ses esclaves, s'il en veut tirer des services. Il parlait ainsi, et dans le fond de son cœur il était occupé du sort de la reine de Babylone.

Sétoc, le marchand, partit deux jours après pour l'Arabie Déserte avec ses esclaves et ses chameaux. Sa tribu habitait vers le désert d'Horeb. Le chemin fut long et pénible. Sétoc, dans la route, faisait bien plus de cas du valet que du maître, parce que le premier chargeait bien mieux les chameaux ; et toutes les petites distinctions furent pour lui.

Un chameau mourut à deux journées d'Horeb : on répartit sa charge sur le dos de chacun des serviteurs ; Zadig en eut sa part. Sétoc se mit à rire en voyant tous ses esclaves marcher courbés. Zadig prit la liberté de lui en expliquer la raison, et lui apprit les lois de l'équilibre. Le marchand étonné commença à le regarder d'un autre œil. Zadig, voyant qu'il avait excité sa curiosité, la redoubla en lui apprenant beaucoup de choses qui n'étaient point étrangères à son commerce ; les pesanteurs spécifiques des métaux et des denrées sous un volume égal ; les propriétés de plusieurs animaux utiles : le moyen de rendre tels ceux qui ne l'étaient pas ; enfin il lui parut un sage. Sétoc lui donna la préférence sur son camarade, qu'il avait tant estimé. Il le traita bien, et n'eut pas sujet de s'en repentir.

Arrivé dans sa tribu, Sétoc commença par redemander cinq cents onces d'argent à un Hébreu auquel il les avait prêtées en présence de deux témoins ; mais ces deux témoins étaient morts, et l'Hébreu, ne pouvant être convaincu, s'appropriait l'argent du marchand, en remerciant Dieu de ce qu'il lui avait donné le moyen de tromper un Arabe. Sétoc confia sa peine à Zadig, qui était devenu son conseil. — En quel endroit, demanda Zadig, prêtâtes-vous vos cinq cents onces à cet infidèle? — Sur une large pierre, répondit le marchand, qui est auprès du mont Horeb. — Quel est le caractère de votre débiteur? dit Zadig. — Celui d'un fripon, reprit Sétoc. — Mais je vous demande si c'est un homme vif ou flegmatique, avisé ou imprudent. — C'est de tous les mauvais payeurs, dit Sétoc, le plus vif que je connaisse. — Eh bien! insista Zadig, permettez que je plaide votre cause devant le juge. En effet il cita l'Hébreu au tribunal, et il parla ainsi au juge: Oreiller du trône d'équité, je viens redemander à cet homme, au nom de mon maître, cinq cents onces d'argent qu'il ne veut pas rendre. — Avez-vous des témoins? dit le juge. — Non, ils sont morts; mais il reste une large pierre sur laquelle l'argent fut compté; et, s'il plaît à votre Grandeur d'ordonner qu'on aille chercher la pierre, j'espère qu'elle portera témoignage; nous resterons ici, l'Hébreu et moi, en attendant que la pierre vienne; je l'enverrai chercher aux dépens de Sétoc, mon maître. — Très volontiers, répondit le juge; et il se mit à expédier d'autres affaires.

A la fin de l'audience: Eh! dit-il à Zadig, votre pierre n'est pas encore venue? L'Hébreu, en riant, répondit: Votre Grandeur resterait ici jusqu'à demain que la pierre ne serait pas encore arrivée; elle est à plus de six milles d'ici, et il faudrait quinze hommes pour la remuer. — Eh bien! s'écria Zadig, je vous avais bien dit que la pierre porterait témoignage; puisque cet homme sait où elle est, il avoue donc que c'est sur elle que l'argent fut compté. L'Hébreu déconcerté fut bientôt contraint de tout avouer. Le juge ordonna qu'il serait lié à la pierre, sans boire ni manger, jusqu'à ce qu'il eût rendu les cinq cents onces d'argent, qui furent bientôt payées.

L'esclave Zadig et la pierre furent en grande recommandation dans l'Arabie.

CHAPITRE XI

LE BÛCHER

5 SÉTOC enchanté fit de son esclave son ami intime. Il ne pouvait pas plus se passer de lui qu'avait fait le roi de Babylone; et Zadig fut heureux que Sétoc n'eût point de femme. Il découvrait dans son maître un naturel porté au bien, beaucoup de droiture et de 10 bon sens. Il fut fâché de voir qu'il adorait l'armée céleste, c'est-à-dire le soleil, la lune et les étoiles, selon l'ancien usage d'Arabie. Il lui en parlait quelquefois avec beaucoup de discrétion. Enfin il lui dit que c'étaient des corps comme les autres, qui ne 15 méritaient pas plus son hommage qu'un arbre ou un rocher. — Mais, disait Sétoc, ce sont des êtres éternels dont nous tirons tous nos avantages; ils animent la nature, ils règlent les saisons; ils sont d'ailleurs si loin de nous qu'on ne peut pas s'empêcher de les 20 révérer. — Vous recevez plus d'avantages, répondit Zadig, des eaux de la mer Rouge, qui porte vos marchandises aux Indes. Pourquoi ne serait-elle pas aussi ancienne que les étoiles? Et si vous adorez ce qui est éloigné de vous, vous devez adorer la terre 25 des Gangarides,[1] qui est aux extrémités du monde. — Non, disait Sétoc, les étoiles sont trop brillantes pour que je ne les adore pas. Le soir venu, Zadig alluma

un grand nombre de flambeaux dans la tente où il devait souper avec Sétoc; et dès que son patron parut il se jeta à genoux devant ces cires allumées, et leur dit: Éternelles et brillantes clartés, soyez-moi toujours propices! Ayant proféré ces paroles, il se mit à table sans regarder Sétoc. — Que faites-vous donc? lui dit Sétoc étonné. — Je fais comme vous, répondit Zadig; j'adore ces chandelles, et je néglige leur maître et le mien. Sétoc comprit le sens profond de cet apologue. La sagesse de son esclave entra dans son âme; il ne prodigua plus son encens aux créatures, et adora l'Être éternel qui les a faites.

Il y avait alors dans l'Arabie une coutume affreuse venue originairement de Scythie, et qui, s'étant établie dans les Indes par le crédit des brahmanes, menaçait d'envahir tout l'Orient. Lorsqu'un homme marié était mort, et que sa femme bien-aimée voulait être sainte, elle se brûlait en public sur le corps de son mari. C'était une fête solennelle qui s'appelait *le bûcher du veuvage.* La tribu dans laquelle il y avait eu le plus de femmes brûlées était la plus considérée. Un Arabe de la tribu de Sétoc étant mort, sa veuve, nommée *Almona,* qui était fort dévote, fit savoir le jour et l'heure où elle se jetterait dans le feu au son des tambours et des trompettes. Zadig remontra à Sétoc combien cette horrible coutume était contraire au bien du genre humain; qu'on laissait brûler tous les jours de jeunes veuves qui pouvaient donner des enfants à l'État, ou du moins élever les leurs; et il le fit convenir qu'il fallait, si on pouvait, abolir un usage si barbare. Sétoc répondit: Il y a plus de mille ans que les femmes sont en possession

de se brûler. Qui de nous osera changer une loi que le temps a consacrée? Y a-t-il rien de plus respectable qu'un ancien abus? — La raison est plus ancienne, reprit Zadig. Parlez aux chefs des tribus, et
5 je vais trouver la jeune veuve.

Il se fit présenter à elle; et, après s'être insinué dans son esprit par des louanges sur sa beauté, après lui avoir dit combien c'était dommage de mettre au feu tant de charmes, il la loua encore sur sa cons-
10 tance et son courage. Vous aimiez donc prodigieusement votre mari? lui dit-il. — Moi? point du tout, répondit la dame arabe. C'était un brutal, un jaloux, un homme insupportable; mais je suis fermement résolue de me jeter sur son bûcher. — Il faut,
15 dit Zadig, qu'il y ait apparemment un plaisir bien délicieux à être brûlée vive. — Ah! cela fait frémir la nature, dit la dame; mais il faut en passer par là. Je suis dévote; je serais perdue de réputation, et tout le monde se moquerait de moi si je ne me brûlais
20 pas. Zadig, l'ayant fait convenir qu'elle se brûlait pour les autres et par vanité, lui parla longtemps d'une manière à lui faire aimer un peu la vie, et parvint même à lui inspirer quelque bienveillance pour celui qui lui parlait. — Que feriez-vous enfin, lui dit-il, si
25 la vanité de vous brûler ne vous tenait pas? — Hélas! dit la dame, je crois que je vous prierais de m'épouser.

Zadig était trop rempli de l'idée d'Astarté pour ne pas éluder cette déclaration; mais il alla dans l'ins-
30 tant trouver les chefs des tribus, leur dit ce qui s'était passé, et leur conseilla de faire une loi par laquelle il ne serait permis à une veuve de se brûler qu'après

avoir entretenu un jeune homme tête à tête pendant une heure entière. Depuis ce jour, aucune dame ne se brûla en Arabie. On eut au seul Zadig l'obligation d'avoir détruit en un jour une coutume si cruelle, qui durait depuis tant de siècles. Il était donc le 5 bienfaiteur de l'Arabie.

CHAPITRE XII

LE SOUPER

SÉTOC, qui ne pouvait se séparer de cet homme en qui habitait la sagesse, le mena à la grande foire de Bassora où devaient se rendre les plus grands négociants de la terre habitable. Ce fut pour Zadig une 10 consolation sensible de voir tant d'hommes de diverses contrées réunis dans la même place. Il lui paraissait que l'univers était une grande famille qui se rassemblait à Bassora. Il se trouva à table dès le second jour avec un Égyptien, un Indien gangaride,[1] un ha- 15 bitant du Cathay, un Grec, un Celte, et plusieurs autres étrangers qui, dans leurs fréquents voyages vers le golfe Arabique, avaient appris assez d'arabe pour se faire entendre. L'Égyptien paraissait fort en colère. Quel abominable pays que Bassora! disait- 20 il; on m'y refuse mille onces d'or sur le meilleur effet du monde. — Comment donc, dit Sétoc, sur quel effet vous a-t-on refusé cette somme? — Sur le corps de ma tante, répondit l'Égyptien; c'était la plus brave femme d'Égypte. Elle m'accompagnait toujours; elle 25 est morte en chemin; j'en ai fait une des plus belles momies que nous ayons, et je trouverais dans mon

pays tout ce que je voudrais en la mettant en gage. Il est bien étrange qu'on ne veuille pas seulement me donner ici mille onces d'or sur un effet si solide. Tout en se courrouçant, il était près de manger d'une
5 excellente poule bouillie, quand l'Indien, le prenant par la main, s'écria avec douleur : Ah ! qu'allez-vous faire ? — Manger de cette poule, dit l'homme à la momie. — Gardez-vous-en bien, dit le Gangaride ; il se pourrait faire que l'âme de la défunte fût passée
10 dans le corps de cette poule, et vous ne voudriez pas vous exposer à manger votre tante. Faire cuire des poules, c'est outrager manifestement la nature. — Que voulez-vous dire avec votre nature et vos poules ? reprit le colérique Égyptien ; nous adorons un bœuf,
15 et nous en mangeons bien. — Vous adorez un bœuf ! est-il possible ? dit l'homme du Gange. — Il n'y a rien de si possible, repartit l'autre ; il y a cent trente-cinq mille ans que nous en usons ainsi, et personne parmi nous n'y trouve à redire. — Ah ! cent trente-cinq mille
20 ans ! dit l'Indien, ce compte est un peu exagéré ; il n'y en a que quatre-vingt mille que l'Inde est peuplée, et assurément nous sommes vos anciens ; et Brama nous avait défendu de manger des bœufs avant que vous vous fussiez avisés de les mettre sur les
25 autels et à la broche. — Voilà un plaisant animal que votre Brama, pour le comparer à Apis, dit l'Égyptien ; qu'a donc fait votre Brama de si beau ? Le bramin répondit : C'est lui qui a appris aux hommes à lire et à écrire et à qui toute la terre doit le jeu des
30 échecs. — Vous vous trompez, dit un Chaldéen qui était auprès de lui ; c'est le poisson Oannès à qui on doit de si grands bienfaits, et il est juste de ne ren-

dre qu'à lui ses hommages. Tout le monde vous dira que c'était un être divin, qu'il avait la queue dorée, avec une belle tête d'homme, et qu'il sortait de l'eau pour venir prêcher à terre trois heures par jour. Il eut plusieurs enfants qui furent tous rois, comme 5 chacun sait. J'ai son portrait chez moi, que je révère comme je le dois. On peut manger du bœuf tant qu'on veut, mais c'est assurément une très grande impiété de faire cuire du poisson; d'ailleurs vous êtes tous deux d'une origine trop peu noble et trop ré- 10 cente pour me rien disputer. La nation égyptienne ne compte que cent trente-cinq mille ans, et les Indiens ne se vantent que de quatre-vingt mille, tandis que nous avons des almanachs de quatre mille siècles. Croyez-moi, renoncez à vos folies, et je vous donne- 15 rai à chacun un beau portrait d'Oannès.

L'homme de Cambalu,[1] prenant la parole, dit: Je respecte fort les Égyptiens, les Chaldéens, les Grecs, les Celtes, Brama, le bœuf Apis, le beau poisson Oannès; mais peut-être que le Li ou le Tien,[2] comme 20 on voudra l'appeler, vaut bien les bœufs et les poissons. Je ne dirai rien de mon pays; il est aussi grand que la terre d'Égypte, la Chaldée et les Indes ensemble. Je ne dispute pas d'antiquité, parce qu'il suffit d'être heureux et que c'est fort peu de chose 25 d'être ancien; mais s'il fallait parler d'almanachs, je dirais que toute l'Asie prend les nôtres, et que nous en avions de fort bons avant qu'on sût l'arithmétique en Chaldée.

— Vous êtes de grands ignorants tous tant que 30 vous êtes! s'écria le Grec: est-ce que vous ne savez pas que le chaos est le père de tout et que la forme

et la matière ont mis le monde dans l'état où il est? Ce Grec parla longtemps; mais il fut enfin interrompu par le Celte, qui, ayant beaucoup bu pendant qu'on disputait, se crut alors plus savant que tous
5 les autres, et dit en jurant qu'il n'y avait que Teutath[1] et le gui de chêne qui valussent la peine qu'on en parlât; que, pour lui, il avait toujours du gui dans sa poche; que les Scythes, ses ancêtres, étaient les seules gens de bien qui eussent jamais été au
10 monde; qu'ils avaient, à la vérité, quelquefois mangé des hommes, mais que cela n'empêchait pas qu'on ne dût avoir beaucoup de respect pour sa nation; et qu'enfin, si quelqu'un parlait mal de Teutath, il lui apprendrait à vivre.[2] La querelle s'échauffa pour
15 lors, et Sétoc vit le moment où la table allait être ensanglantée. Zadig, qui avait gardé le silence pendant toute la dispute, se leva enfin: il s'adressa d'abord au Celte, comme au plus furieux; il lui dit qu'il avait raison, et lui demanda du gui; il loua le Grec
20 sur son éloquence, et adoucit tous les esprits échauffés. Il ne dit que très peu de chose à l'homme du Cathay, parce qu'il avait été le plus raisonnable de tous. Ensuite il leur dit: Mes amis, vous alliez vous quereller pour rien, car vous êtes tous du même
25 avis. A ce mot, ils se récrièrent tous. — N'est-il pas vrai, dit-il au Celte, que vous n'adorez pas ce gui, mais celui qui a fait le gui et le chêne? — Assurément, répondit le Celte. — Et vous, monsieur l'Égyptien, vous révérez apparemment dans un certain bœuf
30 celui qui vous a donné les bœufs? — Oui, dit l'Égyptien. — Le poisson Oannès, continua-t-il, doit céder à celui qui a fait la mer et les poissons. — D'accord,

dit le Chaldéen. L'Indien, ajouta-t-il, et le Cathayen, reconnaissent comme vous un premier principe; je n'ai pas trop bien compris les choses admirables que le Grec a dites, mais je suis sûr qu'il admet aussi un Être supérieur de qui la forme et la matière dé- 5
pendent. Le Grec, qu'on admirait, dit que Zadig avait très bien pris sa pensée. — Vous êtes donc tous de même avis, répliqua Zadig, et il n'y a pas là de quoi se quereller. Tout le monde l'embrassa. Sétoc, après avoir vendu fort cher ses denrées, reconduisit 10
son ami Zadig dans sa tribu. Zadig apprit en arrivant qu'on lui avait fait son procès en son absence, et qu'il allait être brûlé à petit feu.

CHAPITRE XIII

LE RENDEZ-VOUS [1]

Pendant son voyage à Bassora, les prêtres des étoiles avaient résolu de le punir. Les pierreries et 15
les ornements des jeunes veuves qu'ils envoyaient au bûcher leur appartenaient de droit; c'était bien le moins qu'ils fissent brûler Zadig pour le mauvais tour qu'il leur avait joué. Ils accusèrent donc Zadig d'avoir des sentiments erronés sur l'armée céleste; 20
ils déposèrent contre lui, et jurèrent qu'ils lui avaient entendu dire que les étoiles ne se couchaient pas dans la mer. Ce blasphème effroyable fit frémir les juges; ils furent près de déchirer leurs vêtements, quand ils ouïrent ces paroles impies, et ils l'auraient fait, sans 25
doute, si Zadig avait eu de quoi les payer; mais, dans l'excès de leur douleur, ils se contentèrent de

le condamner à être brûlé à petit feu. Sétoc, désespéré, employa en vain son crédit pour sauver son ami; il fut bientôt obligé de se taire. La jeune veuve Almona, qui avait pris beaucoup de goût à la vie, et qui en avait obligation à Zadig, résolut de le tirer du bûcher, dont il lui avait fait connaître l'abus. Elle roula son dessein dans sa tête, sans en parler à personne. Zadig devait être exécuté le lendemain; elle n'avait que la nuit pour le sauver: voici comme elle s'y prit en femme charitable et prudente.

Elle se parfuma; elle releva sa beauté par l'ajustement le plus riche et le plus galant, et alla demander une audience secrète au chef des prêtres des étoiles. Quand elle fut devant ce vieillard vénérable elle lui parla en ces termes: Fils aîné de la grande Ourse, frère du Taureau, cousin du Grand Chien (c'étaient les titres de ce pontife) je viens vous confier mes scrupules. J'ai bien peur d'avoir commis un péché énorme, en ne me brûlant pas dans le bûcher de mon cher mari. En effet, qu'avais-je à conserver? une chair périssable, et qui est déjà toute flétrie. En disant ces paroles elle tira de ses longues manches de soie, ses bras nus d'une forme admirable et d'une blancheur éblouissante. — Vous voyez, dit-elle, le peu que cela vaut. Le pontife trouva dans son cœur que cela valait beaucoup. Ses yeux le dirent et sa bouche le confirma; il jura qu'il n'avait vu de sa vie de si beaux bras. Almona, le voyant enflammé, lui demanda la grâce de Zadig. — Hélas! dit-il, ma belle dame, quand je vous accorderais sa grâce, mon indulgence ne servirait de rien; il faut qu'elle soit signée de trois autres de mes confrères.

— Signez toujours, dit Almona. — Volontiers, dit le prêtre, à condition que vos faveurs seront le prix de ma facilité. — Vous me faites trop d'honneur, dit Almona ; ayez seulement pour agréable de venir dans ma chambre après que le soleil sera couché, et dès que la brillante étoile *Sheat* sera sur l'horizon. Elle sortit alors, emportant avec elle la signature, et alla trouver le second pontife. Celui-ci l'assura que le soleil, la lune, et tous les feux du firmament, n'étaient que des feux follets en comparaison de ses charmes. Elle lui demanda la même grâce, et on lui proposa d'en donner le prix. Elle se laissa vaincre, et donna rendez-vous au second pontife au lever de l'étoile *Algénib*. De là elle passa chez le troisième et chez le quatrième prêtre, prenant toujours une signature, et donnant un rendez-vous d'étoile en étoile. Alors elle fit avertir les juges de venir chez elle pour une affaire importante. Ils s'y rendirent : elle leur montra les quatre noms, et leur dit à quel prix les prêtres avaient vendu la grâce de Zadig. Chacun d'eux arriva à l'heure prescrite ; chacun fut bien étonné d'y trouver ses confrères, et plus encore d'y trouver les juges devant qui leur honte fut manifestée. Zadig fut sauvé. Sétoc fut si charmé de l'habileté d'Almona, qu'il en fit sa femme.

CHAPITRE XIV

LA DANSE

Sétoc devait aller, pour les affaires de son commerce, dans l'île de Serendib ; mais le premier mois de son mariage, qui est, comme on sait, la lune de miel, ne lui permettait ni de quitter sa femme, ni de
5 croire qu'il pût jamais la quitter : il pria son ami Zadig de faire pour lui le voyage. Hélas ! disait Zadig, faut-il que je mette encore un plus vaste espace entre la belle Astarté et moi ? mais il faut servir mes bienfaiteurs. Il dit, il pleura, et il partit.

10 Il ne fut pas longtemps dans l'île de Serendib, sans y être regardé comme un homme extraordinaire. Il devint l'arbitre de tous les différends entre les négociants, l'ami des sages, le conseil du petit nombre de gens qui prennent conseil. Le roi voulut le voir et
15 l'entendre. Il connut bientôt tout ce que valait Zadig ; il eut confiance en sa sagesse, et en fit son ami. La familiarité et l'estime du roi fit trembler Zadig. Il était nuit et jour pénétré du malheur que lui avaient attiré les bontés de Moabdar. Je plais au
20 roi, disait-il ; ne serais-je pas perdu ? Cependant il ne pouvait se dérober aux caresses de Sa Majesté ; car il faut avouer que Nabussan, roi de Serendib, fils de Nussanab, fils de Nabassun, fils de Sanbusna, était un des meilleurs princes de l'Asie, et quand on lui
25 parlait il était difficile de ne le pas aimer.

Ce bon prince était toujours loué, trompé et volé : c'était à qui pillerait ses trésors. Le receveur général de l'île de Serendib donnait toujours cet exemple

fidèlement suivi par les autres. Le roi le savait; il avait changé de trésorier plusieurs fois; mais il n'avait pu changer la mode établie de partager les revenus du roi en deux moitiés inégales, dont la plus petite revenait toujours à Sa Majesté, et la plus 5
grosse aux administrateurs.

Le roi Nabussan confia sa peine au sage Zadig. Vous qui savez tant de belles choses, lui dit-il, ne sauriez-vous pas le moyen de me faire trouver un trésorier qui ne me vole point? — Assurément, répon- 10
dit Zadig, je sais une façon infaillible de vous donner un homme qui ait les mains nettes. Le roi charmé lui demanda, en l'embrassant, comment il fallait s'y prendre. Il n'y a, dit Zadig, qu'à faire danser tous ceux qui se présenteront pour la dignité de trésorier, 15
et celui qui dansera avec le plus de légèreté sera infailliblement le plus honnête homme. — Vous vous moquez, dit le roi; voilà une plaisante façon de choisir un receveur de mes finances. Quoi! vous prétendez que celui qui fera le mieux un entrechat 20
sera le financier le plus intègre et le plus habile! — Je ne vous réponds pas qu'il sera le plus habile, repartit Zadig; mais je vous assure que ce sera indubitablement le plus honnête homme. Zadig parlait avec tant de confiance, que le roi crut qu'il avait 25
quelque secret surnaturel pour connaître les financiers. — Je n'aime pas le surnaturel, dit Zadig; les gens et les livres à prodige m'ont toujours déplu; si Votre Majesté veut me laisser faire l'épreuve que je lui propose, elle sera bien convaincue que mon 30
secret est la chose la plus simple et la plus aisée. Nabussan, roi de Serendib, fut bien plus étonné d'en-

tendre que ce secret était simple que si on le lui avait donné pour un miracle: Or bien, dit-il, faites comme vous l'entendrez. — Laissez-moi faire, dit Zadig, vous gagnerez à cette épreuve plus que vous ne pensez. Le jour même il fit publier, au nom du roi, que tous ceux qui prétendaient à l'emploi de haut receveur des deniers de Sa gracieuse Majesté Nabussan, fils de Nussanab, eussent à se rendre, en habits de soie légère, le premier de la lune du Crocodile, dans l'antichambre du roi. Ils s'y rendirent au nombre de soixante et quatre. On avait fait venir des violons dans un salon voisin; tout était préparé pour le bal; mais la porte de ce salon était fermée, et il fallait, pour y entrer, passer par une petite galerie assez obscure. Un huissier vint chercher et introduire chaque candidat, l'un après l'autre, par ce passage, dans lequel on le laissait seul quelques minutes. Le roi, qui avait le mot, avait étalé tous ses trésors dans cette galerie. Lorsque tous les prétendants furent arrivés dans le salon, Sa Majesté ordonna qu'on les fît danser. Jamais on ne dansa plus pesamment et avec moins de grâce; ils avaient tous la tête baissée, les reins courbés, les mains collées à leurs côtés. Quels fripons! disait tout bas Zadig. Un seul d'entre eux formait des pas avec agilité, la tête haute, le regard assuré, les bras étendus, le corps droit, le jarret ferme. Ah! l'honnête homme! le brave homme! disait Zadig. Le roi embrassa ce bon danseur, le déclara trésorier, et tous les autres furent punis et taxés avec la plus grande justice du monde; car chacun, dans le temps qu'il avait été dans la galerie, avait rempli ses poches, et pouvait à peine marcher. Le roi fut fâché pour la nature humaine que de ces soixante et quatre danseurs il y eût soixante et trois filous. La galerie obscure fut appelée *le corridor de la Tentation.* On aurait en Perse empalé ces soixante et trois seigneurs; en d'autres pays on eût fait une chambre de justice qui eût consommé en frais le triple de l'argent volé, et qui n'eût rien remis dans les coffres du souverain; dans un autre royaume, ils se seraient pleinement justifiés, et auraient fait disgracier ce danseur si léger: à Serendib, ils ne furent condamnés qu'à augmenter le trésor public, car Nabussan était fort indulgent.

Il était aussi fort reconnaissant; il donna à Zadig une somme d'argent plus considérable qu'aucun trésorier n'en avait jamais volé au roi son maître. Zadig s'en servit pour envoyer des exprès à Babylone, qui devaient l'informer de la destinée d'Astarté. Sa voix trembla en donnant cet ordre, son sang reflua vers son cœur, ses yeux se couvrirent de ténèbres, son âme fut prête à l'abandonner. Le courrier partit, Zadig le vit embarquer; il rentra chez le roi, ne voyant personne, croyant être dans sa chambre, et prononçant le nom d'amour. — Ah! l'amour, dit le roi; c'est précisément ce dont il s'agit; vous avez deviné ce qui fait ma peine. Que vous êtes un grand homme! j'espère que vous m'apprendrez à connaître une femme à toute épreuve, comme vous m'avez fait trouver un trésorier désintéressé. Zadig ayant repris ses sens, lui promit de le servir en amour comme en finance, quoique la chose parût plus difficile encore.

CHAPITRE XV

LES YEUX BLEUS

[Zadig met à l'épreuve les sultanes de Nabussan et ne trouve que la belle Falide qui aime le roi véritablement.]

NABUSSAN lui donna son cœur: elle le méritait bien. Jamais la fleur de la jeunesse ne fut si bril-
5 lante; jamais les charmes de la beauté ne furent si enchanteurs. La vérité de l'histoire ne permet pas de taire qu'elle faisait mal la révérence, mais elle dansait comme les fées, chantait comme les sirènes, et parlait comme les Grâces: elle était pleine de ta-
10 lents et de vertus.

Nabussan aimé l'adora: mais elle avait les yeux bleus, et ce fut la source des plus grands malheurs. Il y avait une ancienne loi qui défendait aux rois d'aimer une de ces femmes que les Grecs ont appe-
15 lées depuis *βοῶπις*.[1] Le chef des bonzes avait établi cette loi il y avait plus de cinq mille ans; c'était pour s'approprier la maîtresse du premier roi de l'île de Serendib que ce premier bonze avait fait passer l'anathème des yeux bleus en constitution fondamentale
20 d'État. Tous les ordres de l'empire vinrent faire à Nabussan des remontrances. On disait publiquement que les derniers jours du royaume étaient arrivés, que l'abomination était à son comble, que toute la nature était menacée d'un événement sinistre; qu'en
25 un mot Nabussan, fils de Nussanab, aimait deux grands yeux bleus. Les financiers, les bonzes et les brunes remplirent le royaume de leurs plaintes.

Les peuples sauvages qui habitent le nord de Serendib profitèrent de ce mécontentement général. Ils firent une irruption dans les États du bon Nabussan. Il demanda des subsides à ses sujets; les bonzes, qui possédaient la moitié des revenus de l'État, se contentèrent de lever les mains au ciel, et refusèrent de les 5 mettre dans leurs coffres pour aider le roi. Ils firent de belles prières en musique, et laissèrent l'État en proie aux barbares.

— O mon cher Zadig, me tireras-tu encore de cet horrible embarras? s'écria douloureusement Nabus- 10 san. — Très volontiers, répondit Zadig; vous aurez de l'argent des bonzes tant que vous en voudrez. Laissez à l'abandon les terres où sont situés leurs châteaux, et défendez seulement les vôtres. Nabussan n'y manqua pas: les bonzes vinrent se jeter aux 15 pieds du roi, et implorer son assistance. Le roi leur répondit par une belle musique dont les paroles étaient des prières au ciel pour la conservation de leurs terres. Les bonzes enfin donnèrent de l'argent, et le roi finit heureusement la guerre. Ainsi Zadig, 20 par ses conseils sages et heureux, et par les plus grands services, s'était attiré l'irréconciliable inimitié des hommes les plus puissants de l'État: les bonzes et les brunes jurèrent sa perte; les financiers ne l'épargnèrent pas; on le rendit suspect au bon Na- 25 bussan. Les services rendus restent souvent dans l'antichambre, et les soupçons entrent dans le cabinet, selon la sentence de Zoroastre: c'était tous les jours de nouvelles accusations; la première est repoussée, la seconde effleure, la troisième blesse, la quatrième tue. 30

Zadig, intimidé, qui avait bien fait les affaires de son ami Sétoc, et qui lui avait fait tenir son argent, ne songea plus qu'à partir de l'île, et résolut d'aller lui-même chercher des nouvelles d'Astarté; car, disait-il, si je reste dans Serendib, les bonzes me feront empaler; mais où aller? je serai esclave en Égypte, 5 brûlé selon toutes les apparences en Arabie, étranglé à Babylone. Cependant il faut savoir ce qu'Astarté est devenue: partons, et voyons à quoi me réserve ma triste destinée.

CHAPITRE XVI

LE BRIGAND

En arrivant aux frontières qui séparent l'Arabie 10 Pétrée[1] de la Syrie, comme il passait près d'un château assez fort, des Arabes armés en sortirent. Il se vit entouré; on lui criait: Tout ce que vous avez nous appartient, et votre personne appartient à notre maître. Zadig, pour réponse, tira son épée; son va- 15 let, qui avait du courage, en fit autant. Ils renversèrent morts les premiers Arabes qui mirent la main sur eux; le nombre redoubla; ils ne s'étonnèrent point, et résolurent de périr en combattant. On voyait deux hommes se défendre contre une multitude; un 20 tel combat ne pouvait durer longtemps. Le maître du château nommé Arbogad, ayant vu d'une fenêtre les prodiges de valeur que faisait Zadig, conçut de l'estime pour lui. Il descendit en hâte, et vint lui-même écarter ses gens, et délivrer les deux voyageurs. 25 — Tout ce qui passe sur mes terres est à moi, dit-il, aussi bien que ce que je trouve sur les terres des autres; mais vous me paraissez un si brave homme, que je vous exempte de la loi commune. Il le fit entrer dans son château, ordonnant à ses gens de le bien traiter; et le soir Arbogad voulut souper avec Zadig.

Le seigneur du château était un de ces Arabes qu'on appelle *voleurs;* mais il faisait quelquefois de bonnes actions parmi une foule de mauvaises; il volait avec une rapacité furieuse, et donnait libéralement: intrépide dans l'action, assez doux dans le commerce, débauché à table, gai dans la débauche, et surtout plein de franchise. Zadig lui plut beaucoup; sa conversation, qui s'anima, fit durer le repas: enfin Arbogad lui dit: Je vous conseille de vous enrôler sous moi, vous ne sauriez mieux faire; ce métier-ci n'est pas mauvais; vous pourrez un jour devenir ce que je suis. — Puis-je vous demander, dit Zadig, depuis quand vous exercez cette noble profession? — Dès ma plus tendre jeunesse, reprit le seigneur. J'étais valet d'un Arabe assez habile; ma situation m'était insupportable. J'étais au désespoir de voir que, dans toute la terre qui appartient également aux hommes, la destinée ne m'eût pas réservé ma portion. Je confiai mes peines à un vieil Arabe qui me dit: Mon fils, ne désespérez pas; il y avait autrefois un grain de sable qui se lamentait d'être un atome ignoré dans les déserts; au bout de quelques années il devint diamant, et il est à présent le plus bel ornement de la couronne du roi des Indes. Ce discours me fit impression; j'étais le grain de sable, je résolus de devenir diamant. Je commençai par voler deux chevaux; je m'associai des camarades; je me mis en état de voler de petites caravanes: ainsi je fis cesser peu à peu la disproportion qui était d'abord entre les hommes et moi. J'eus ma part aux biens de ce monde, et je fus même dédommagé avec usure: on me considéra beaucoup; je devins seigneur brigand; j'acquis ce château par voie de fait. Le satrape de 5 Syrie voulut m'en déposséder; mais j'étais déjà trop riche pour avoir rien à craindre; je donnai de l'argent au satrape, moyennant quoi je conservai ce château, et j'agrandis mes domaines; il me nomma même trésorier des tributs que l'Arabie Pétrée payait au 10 roi des rois. Je fis ma charge de receveur, et point du tout celle de payeur.

Le grand Desterham de Babylone envoya ici, au nom du roi Moabdar, un petit satrape pour me faire étrangler. Cet homme arriva avec son ordre: j'étais 15 instruit de tout; je fis étrangler en sa présence les quatre personnes qu'il avait amenées avec lui pour serrer le lacet; après quoi je lui demandai ce que pouvait lui valoir la commission de m'étrangler. Il me répondit que ses honoraires pouvaient aller à trois 20 cents pièces d'or. Je lui fis voir clair qu'il y aurait plus à gagner avec moi. Je le fis sous-brigand; il est aujourd'hui un de mes meilleurs officiers, et des plus riches. Si vous m'en croyez, vous réussirez comme lui. Jamais la saison de voler n'a été meil- 25 leure, depuis que Moabdar est tué et que tout est en confusion à Babylone.

— Moabdar est tué! dit Zadig; et qu'est devenue la reine Astarté? — Je n'en sais rien, reprit Arbogad; tout ce que je sais, c'est que Moabdar est devenu 30 fou, qu'il a été tué, que Babylone est un grand coupe-gorge, que tout l'empire est désolé, qu'il y a de beaux coups à faire encore, et que pour ma part j'en ai fait d'admirables. — Mais la reine, dit Zadig; de grâce, ne savez-vous rien de la destinée de la reine? — On m'a parlé d'un prince d'Hyrcanie, reprit-il; elle est probablement parmi ses concubines, si elle n'a pas été tuée dans le tumulte; mais je suis plus curieux de butin que de nouvelles. J'ai pris plusieurs femmes dans mes courses, je n'en garde aucune, je les vends cher quand elles sont belles, sans m'informer de ce qu'elles sont. On n'achète point le rang; une reine qui serait laide ne trouverait pas marchand; peut-être ai-je vendu la reine Astarté, peut-être est-elle morte; mais peu m'importe, et je pense que vous ne devez pas vous en soucier plus que moi. En parlant ainsi, il buvait avec tant de courage, il confondait tellement toutes les idées, que Zadig n'en put tirer aucun éclaircissement.

Il restait interdit, accablé, immobile. Arbogad buvait toujours, faisait des contes, répétait sans cesse qu'il était le plus heureux de tous les hommes, exhortant Zadig à se rendre aussi heureux que lui. Enfin, doucement assoupi par les fumées du vin, il alla dormir d'un sommeil tranquille. Zadig passa la nuit dans l'agitation la plus violente. Quoi, disait-il, le roi est devenu fou! il est tué! Je ne puis m'empêcher de le plaindre. L'empire est déchiré, et ce brigand est heureux: ô fortune! ô destinée! un voleur est heureux, et ce que la nature a fait de plus aimable a péri peut-être d'une manière affreuse, ou vit dans un état pire que la mort. O Astarté! qu'êtes-vous devenue?

Dès le point du jour il interrogea tous ceux qu'il rencontrait dans le château; mais tout le monde était

occupé, personne ne lui répondit : on avait fait pendant la nuit de nouvelles conquêtes, on partageait les dépouilles. Tout ce qu'il put obtenir dans cette confusion tumultueuse, ce fut la permission de partir. Il
5 en profita sans tarder, plus abîmé que jamais dans ses réflexions douloureuses.

Zadig marchait inquiet, agité, l'esprit tout occupé de la malheureuse Astarté, du roi de Babylone, de son frère Cador, de l'heureux brigand Arbogad, de cette femme
10 si capricieuse que des Babyloniens avaient enlevée sur les confins de l'Égypte, enfin de tous les contre-coups et de toutes les infortunes qu'il avait éprouvées.

CHAPITRE XVII

LE PÊCHEUR

A QUELQUES lieues du château d'Arbogad, il se trouva sur le bord d'une petite rivière, toujours dé-
15 plorant sa destinée, et se regardant comme le modèle du malheur. Il vit un pêcheur couché sur la rive, tenant à peine d'une main languissante son filet, qu'il semblait abandonner, et levant les yeux vers le ciel.

20 Je suis certainement le plus malheureux de tous les hommes, disait le pêcheur. J'ai été, de l'aveu de tout le monde, le plus célèbre marchand de fromages à la crème dans Babylone, et j'ai été ruiné. J'avais la plus jolie femme qu'homme pût posséder, et j'en
25 ai été trahi. Il me restait une chétive maison, je l'ai vue pillée et détruite. Réfugié dans une cabane, je n'ai de ressource que ma pêche et je ne prends pas

un poisson. O mon filet! je ne te jetterai plus dans l'eau, c'est à moi de m'y jeter. En disant ces mots il se lève, et s'avance dans l'attitude d'un homme qui allait se précipiter et finir sa vie.

Eh quoi! se dit Zadig à lui-même, il y a donc des 5 hommes aussi malheureux que moi! L'ardeur de sauver la vie au pêcheur fut aussi prompte que cette réflexion. Il court à lui, il l'arrête, il l'interroge d'un air attendri et consolant. On prétend qu'on en est moins malheureux quand on ne l'est pas seul: 10 mais, selon Zoroastre, ce n'est pas par malignité, c'est par besoin. On se sent alors entraîné vers un infortuné comme vers son semblable. La joie d'un homme heureux serait une insulte; mais deux malheureux sont comme deux arbrisseaux faibles qui, s'appuyant 15 l'un sur l'autre, se fortifient contre l'orage.

— Pourquoi succombez-vous à vos malheurs? dit Zadig au pêcheur. — C'est, répondit-il, parce que je n'y vois pas de ressource. J'ai été le plus considéré du village de Derlback auprès de Babylone, et je fai- 20 sais, avec l'aide de ma femme, les meilleurs fromages à la crème de l'empire. La reine Astarté et le fameux ministre Zadig les aimaient passionnément. J'avais fourni à leurs maisons six cents fromages. J'allai un jour à la ville pour être payé; j'appris en 25 arrivant dans Babylone que la reine et Zadig avaient disparu. Je courus chez le seigneur Zadig, que je n'avais jamais vu; je trouvai les archers du grand Desterham, qui, munis d'un papier royal, pillaient sa maison loyalement et avec ordre. Je volai aux cui- 30 sines de la reine; quelques-uns des seigneurs de la bouche[1] me dirent qu'elle était morte; d'autres dirent qu'elle était en prison; d'autres prétendirent qu'elle avait pris la fuite; mais tous m'assurèrent qu'on ne me payerait point mes fromages. J'allai avec ma femme chez le seigneur Orcan, qui était une de mes pratiques: nous lui demandâmes sa protection dans notre disgrâce. Il l'accorda à ma femme, et me la refusa. Elle était plus blanche que ces fromages à la crème qui commencèrent mon malheur; et l'éclat de la pourpre de Tyr n'était pas plus brillant que l'incarnat qui animait cette blancheur. C'est ce qui fit qu'Orcan la retint, et me chassa de sa maison. J'écrivis à ma chère femme la lettre d'un désespéré. Elle dit au porteur: Ah! ah! oui! je sais quel est l'homme qui m'écrit, j'en ai entendu parler: on dit qu'il fait des fromages à la crème excellents; qu'on m'en apporte et qu'on les lui paye.

Dans mon malheur, je voulus m'adresser à la justice. Il me restait six onces d'or: il fallut en donner deux onces à l'homme de loi que je consultai, deux au procureur qui entreprit mon affaire, deux au secrétaire du premier juge. Quand tout cela fut fait, mon procès n'était pas encore commencé, et j'avais déjà dépensé plus d'argent que mes fromages et ma femme ne valaient. Je retournai à mon village dans l'intention de vendre ma maison pour avoir ma femme.

Ma maison valait bien soixante onces d'or; mais on me voyait pauvre et pressé de vendre. Le premier à qui je m'adressai m'en offrit trente onces; le second vingt; et le troisième dix. J'étais près enfin de conclure, tant j'étais aveuglé, lorsqu'un prince d'Hyrcanie vint à Babylone, et ravagea tout sur son passage. Ma maison fut d'abord saccagée, et ensuite brûlée.

Ayant ainsi perdu mon argent, ma femme, et ma maison, je me suis retiré dans ce pays où vous me voyez; j'ai tâché de subsister du métier de pêcheur. Les poissons se moquent de moi comme les hommes; je ne prends rien, je meurs de faim; et sans vous, auguste consolateur, j'allais mourir dans la rivière.

Le pêcheur ne fit point ce récit tout de suite, car à tout moment Zadig, ému et transporté, lui disait: Quoi! vous ne savez rien de la destinée de la reine? — Non, seigneur, répondait le pêcheur; mais je sais que la reine et Zadig ne m'ont point payé mes fromages à la crème, qu'on a pris ma femme, et que je suis au désespoir. — Je me flatte, dit Zadig, que vous ne perdrez pas tout votre argent. J'ai entendu parler de ce Zadig; il est honnête homme; et s'il retourne à Babylone, comme il l'espère, il vous donnera plus qu'il ne vous doit: mais pour votre femme, qui n'est pas si honnête, je vous conseille de ne pas chercher à la reprendre. Croyez-moi, allez à Babylone; j'y serai avant vous, parce que je suis à cheval, et que vous êtes à pied. Adressez-vous à l'illustre Cador; dites-lui que vous avez rencontré son ami; attendez-moi chez lui. Allez; peut-être ne serez-vous pas toujours malheureux.

O puissant Orosmade! continua-t-il, vous vous servez de moi pour consoler cet homme; de qui vous serviriez-vous pour me consoler? En parlant ainsi il donnait au pêcheur la moitié de tout l'argent qu'il avait apporté d'Arabie, et le pêcheur, confondu et ravi, baisait les pieds de l'ami de Cador, et disait: Vous êtes un ange sauveur.

Cependant Zadig demandait toujours des nouvelles, et versait des larmes. Quoi! seigneur, s'écria le pêcheur, vous seriez donc aussi malheureux, vous qui faites du bien? — Plus malheureux que toi cent fois, répondait Zadig. — Mais comment se peut-il faire, disait le bonhomme, que celui qui donne soit plus à plaindre que celui qui reçoit? — C'est que ton plus grand malheur, reprit Zadig, était le besoin, et que je suis infortuné par le cœur. — Orcan vous aurait-il pris votre femme? dit le pêcheur. Ce mot rappela dans l'esprit de Zadig toutes ses aventures; il répétait la liste de ses infortunes, à commencer depuis la chienne de la reine jusqu'à son arrivée chez le brigand Arbogad. Ah! dit-il au pêcheur, Orcan mérite d'être puni. Mais d'ordinaire ce sont ces gens-là qui sont les favoris de la destinée. Quoi qu'il en soit, va chez le seigneur Cador, et attends-moi. Ils se séparèrent: le pêcheur marcha en remerciant son destin, et Zadig courut en accusant toujours le sien.

CHAPITRE XVIII

LE BASILIC

Arrivé dans une belle prairie, il y vit plusieurs femmes qui cherchaient quelque chose avec beaucoup d'application. Il prit la liberté de s'approcher de l'une d'elles, et de lui demander s'il pouvait avoir l'honneur de les aider dans leurs recherches. Gardez-vous-en bien, répondit la Syrienne; ce que nous cherchons ne peut être touché que par des femmes. — Voilà qui est bien étrange, dit Zadig; oserai-je vous prier de m'apprendre ce que c'est qu'il n'est permis qu'aux femmes de toucher? — C'est un basilic, dit-elle. — Un basilic, madame! et pour quelle raison, s'il vous plait, cherchez-vous un basilic? — C'est pour notre seigneur et maître Ogul, dont vous voyez le château sur le bord de cette rivière, au bout de la prairie. Nous sommes ses très humbles esclaves; le seigneur Ogul est malade; son 5 médecin lui a ordonné de manger un basilic cuit dans l'eau de rose; et, comme c'est un animal fort rare, qui ne se laisse jamais prendre que par des femmes, le seigneur Ogul a promis de choisir pour sa femme bien-aimée celle de nous qui lui apportera un basilic; lais- 10 sez-moi chercher, s'il vous plaît; car vous voyez ce qu'il m'en coûterait si j'étais prévenue par mes compagnes.

Zadig laissa cette Syrienne et les autres chercher leur basilic, et continua de marcher dans la prairie. 15 Quand il fut au bord d'un petit ruisseau, il y trouva une autre dame couchée sur le gazon, et qui ne cherchait rien. Sa taille paraissait majestueuse, mais son visage était couvert d'un voile. Elle était penchée vers le ruisseau; de profonds soupirs sortaient de sa 20 bouche. Elle tenait en main une petite baguette, avec laquelle elle traçait des caractères sur un sable fin qui se trouvait entre le gazon et le ruisseau. Zadig eut la curiosité de voir ce que cette femme écrivait; il s'approcha, il vit la lettre Z, puis un A, il fut étonné; puis 25 parut un D; il tressaillit. Jamais surprise ne fut égale à la sienne, quand il vit les deux dernières lettres de son nom. Il demeura quelque temps immobile; enfin, rompant le silence d'une voix entrecoupée: O généreuse dame! pardonnez à un étranger, à un infortuné, 30 d'oser vous demander par quelle aventure étonnante je trouve ici le nom de ZADIG tracé de votre main divine.

A cette voix, à ces paroles, la dame releva son voile d'une main tremblante, regarda Zadig, jeta un cri d'attendrissement, de surprise et de joie, et, succombant sous tous les mouvements divers qui assaillaient à la fois son âme, elle tomba évanouie entre ses bras. C'était Astarté elle-même, c'était la reine de Babylone, c'était celle que Zadig adorait, et qu'il se reprochait d'adorer; c'était celle dont il avait tant pleuré et tant craint la destinée. Il fut un moment privé de l'usage de ses sens; et quand il eut attaché ses regards sur les yeux d'Astarté, qui se rouvraient avec une langueur mêlée de confusion et de tendresse: O puissances immortelles! s'écria-t-il, qui présidez aux destins des faibles humains, me rendez-vous Astarté? En quel temps, en quels lieux, en quel état la revois-je! Il se jeta à genoux devant Astarté, et il attacha son front à la poussière de ses pieds. La reine de Babylone le relève, et le fait asseoir auprès d'elle sur le bord de ce ruisseau; elle essuyait à plusieurs reprises ses yeux dont les larmes recommençaient toujours à couler. Elle reprenait vingt fois des discours que ses gémissements interrompaient; elle l'interrogeait sur le hasard qui les rassemblait, et prévenait soudain ses réponses par d'autres questions. Elle entamait le récit de ses malheurs, et voulait savoir ceux de Zadig. Enfin tous deux ayant un peu apaisé le tumulte de leurs âmes, Zadig lui conta en peu de mots par quelle aventure il se trouvait dans cette prairie. Mais, ô malheureuse et respectable reine! comment vous retrouvé-je en ce lieu écarté, vêtue en esclave, et accompagnée d'autres femmes esclaves qui cherchent un basilic pour le faire cuire dans de l'eau de rose par ordonnance du médecin?

— Pendant qu'elles cherchent leur basilic, dit la belle Astarté, je vais vous apprendre tout ce que j'ai souffert, et tout ce que je pardonne au Ciel depuis que je vous revois. Vous savez que le roi mon mari trouva mauvais que vous fussiez le plus aimable de tous les hommes ; et ce fut pour cette raison qu'il prit une nuit la résolution de vous faire étrangler et de m'empoisonner. Vous savez comme le Ciel permit que mon petit muet m'avertît de l'ordre de Sa sublime Majesté. A peine le fidèle Cador vous eut-il forcé de m'obéir et de partir, qu'il osa entrer chez moi au milieu de la nuit par une issue secrète. Il m'enleva et me conduisit dans le temple d'Orosmade, où le mage, son frère, m'enferma dans une statue colossale dont la base touche aux fondements du temple, et dont la tête atteint la voûte. Je fus là comme ensevelie, mais servie par le mage, et ne manquant d'aucune chose nécessaire. Cependant au point du jour l'apothicaire de Sa Majesté entra dans ma chambre avec une potion mêlée de jusquiame, d'opium, de ciguë, d'ellébore noir, et d'aconit ; et un autre officier alla chez vous avec un lacet de soie bleue. On ne trouva personne. Cador, pour mieux tromper le roi, feignit de venir nous accuser tous deux. Il dit que vous aviez pris la route des Indes, et moi celle de Memphis : on envoya des satellites après vous et après moi.

Les courriers qui me cherchaient ne me connaissaient pas. Je n'avais presque jamais montré mon visage qu'à vous seul, en présence et par ordre de mon époux. Ils coururent à ma poursuite, sur le portrait qu'on leur faisait de ma personne : une femme de la même taille que moi, et qui peut-être avait plus de charmes, s'offrit à leurs regards sur les frontières de l'Égypte. Elle était éplorée, errante; ils ne doutèrent pas que cette femme ne fût la reine de Babylone; ils la menèrent à Moabdar. Leur méprise fit entrer d'abord le roi dans une violente colère; mais bientôt, ayant considéré de plus près cette femme, il la trouva très belle, et fut consolé. On l'appelait Missouf. On m'a dit depuis que ce nom signifie en langue égyptienne *la belle capricieuse.* Elle l'était en effet; mais elle avait autant d'art que de caprice. Elle plut à Moabdar. Elle le subjugua au point de se faire déclarer sa femme. Alors son caractère se développa tout entier: elle se livra sans crainte à toutes les folies de son imagination. Elle voulut obliger le chef des mages, qui était vieux et goutteux, de danser devant elle; et sur le refus du mage, elle le persécuta violemment. Elle ordonna à son grand-écuyer de lui faire une tourte de confitures. Le grand-écuyer eut beau lui représenter qu'il n'était point pâtissier, il fallut qu'il fît la tourte; et on le chassa, parce qu'elle était trop brûlée. Elle donna la charge de grand-écuyer à son nain, et la place de chancelier à un page. C'est ainsi qu'elle gouverna Babylone. Tout le monde me regrettait. Le roi, qui avait été assez honnête homme jusqu'au moment où il avait voulu m'empoisonner et vous faire étrangler, semblait avoir noyé ses vertus dans l'amour prodigieux qu'il avait pour la belle capricieuse. Il vint au temple le grand jour du feu sacré. Je le vis implorer les dieux pour Missouf aux pieds de la statue où j'étais renfermée. J'élevai la voix; je lui criai: « Les dieux refusent les vœux d'un roi devenu tyran, qui a voulu faire mourir une femme raisonnable, pour épouser une extravagante.» Moabdar fut confondu de ces paroles au point que sa tête se troubla. L'oracle que j'avais rendu, et la tyrannie de Missouf, suffisaient pour lui faire perdre le jugement. Il devint fou en peu de jours.

Sa folie, qui parut un châtiment du Ciel, fut le signal de la révolte. On se souleva, on courut aux armes. Babylone, si longtemps plongée dans une mollesse oisive, devint le théâtre d'une guerre civile affreuse. On me tira du creux de ma statue, et on me mit à la tête d'un parti. Cador courut à Memphis, pour vous ramener à Babylone. Le prince d'Hyrcanie, apprenant ces funestes nouvelles, revint avec son armée faire un troisième parti dans la Chaldée. Il attaqua le roi, qui courut au-devant de lui avec son extravagante Égyptienne. Moabdar mourut percé de coups. Missouf tomba aux mains du vainqueur. Mon malheur voulut que je fusse prise moi-même par un parti hyrcanien, et qu'on me menât devant le prince précisément dans le temps qu'on lui amenait Missouf. Vous serez flatté, sans doute, en apprenant que le prince me trouva plus belle que l'Égyptienne; mais vous serez fâché d'apprendre qu'il me destina à son sérail. Il me dit fort résolument que, dès qu'il aurait fini une expédition militaire qu'il allait exécuter, il viendrait à moi. Jugez de ma douleur. Mes liens avec Moabdar étaient rompus, je pouvais être à Zadig; et je tombais dans les chaînes de ce barbare! Je lui répondis avec toute la fierté que me donnaient mon rang et mes sentiments. J'avais toujours entendu dire que le Ciel attachait aux personnes de ma sorte un caractère de grandeur qui d'un mot et d'un coup d'œil faisait rentrer dans l'abaissement du plus profond respect les téméraires qui osaient s'en écarter. Je parlai en reine, mais je fus traitée en demoiselle suivante.[1] L'Hyrcanien, sans daigner seulement m'adresser la parole, dit à son eunuque noir que j'étais une impertinente, mais qu'il me trouvait jolie. Il lui ordonna d'avoir soin de moi et de me mettre au régime des favorites, afin de me rafraîchir le teint, et de me rendre plus digne de ses faveurs, pour le jour où il aurait la commodité de m'en honorer. Je lui dis que je me tuerais : il répliqua, en riant, qu'on ne se tuait point, qu'il était fait à ces façons-là, et me quitta comme un homme qui vient de mettre un perroquet dans sa ménagerie. Quel état pour la première reine de l'univers, et, je dirai plus, pour un cœur qui était à Zadig !

A ces paroles il se jeta à ses genoux, et les baigna de larmes. Astarté le releva tendrement, et elle continua ainsi : Je me voyais au pouvoir d'un barbare, et rivale d'une folle avec qui j'étais renfermée. Elle me raconta son aventure d'Égypte. Je jugeai par les traits dont elle vous peignait, par le temps, par le dromadaire sur lequel vous étiez monté, par toutes les circonstances, que c'était Zadig qui avait combattu pour elle. Je ne doutai pas que vous ne fussiez à Memphis ; je pris la résolution de m'y retirer. Belle Missouf, lui dis-je, vous êtes beaucoup plus plaisante que moi, vous divertirez bien mieux que moi le prince d'Hyrcanie. Facilitez-moi les moyens de me sauver ; vous régnerez seule ; vous me rendrez heureuse, en vous débarrassant d'une rivale. Missouf concerta avec moi les moyens de ma fuite. Je partis donc secrètement avec une esclave égyptienne.

J'étais déjà près de l'Arabie, lorsqu'un fameux voleur nommé Arbogad, m'enleva et me vendit à des marchands qui m'ont amenée dans ce château, où demeure le seigneur Ogul. Il m'a achetée sans savoir qui j'étais. C'est un homme voluptueux qui ne cherche 5 qu'à faire grande chère, et qui croit que Dieu l'a mis au monde pour tenir table. Il est d'un embonpoint excessif qui est toujours prêt à le suffoquer. Son médecin qui n'a que peu de crédit auprès de lui quand il digère bien, le gouverne despotiquement quand il a 10 trop mangé. Il lui a persuadé qu'il le guérirait avec un basilic cuit dans l'eau de rose. Le seigneur Ogul a promis sa main à celle de ses esclaves qui lui apporterait un basilic. Vous voyez que je les laisse s'empresser à mériter cet honneur, et je n'ai jamais eu 15 moins d'envie de trouver ce basilic que depuis que le Ciel a permis que je vous revisse.

Alors Astarté et Zadig se dirent tout ce que des sentiments longtemps retenus, tout ce que leurs malheurs et leurs amours pouvaient inspirer aux cœurs 20 les plus nobles et les plus passionnés; et les génies qui président à l'amour portèrent leurs paroles jusqu'à la sphère de Vénus.

Les femmes rentrèrent chez Ogul sans avoir rien trouvé. Zadig se fit présenter à lui, et lui parla en 25 ces termes: Que la santé immortelle descende du ciel pour avoir soin de tous vos jours! Je suis médecin, j'ai accouru vers vous sur le bruit de votre maladie, et je vous ai apporté un basilic cuit dans l'eau de rose. Ce n'est pas que je prétende vous épouser: je 30 ne vous demande que la liberté d'une jeune esclave de Babylone que vous avez depuis quelques jours; et je consens de rester en esclavage à sa place si je n'ai pas le bonheur de guérir le magnifique seigneur Ogul.

La proposition fut acceptée. Astarté partit pour Babylone avec le domestique de Zadig, en lui promettant de lui envoyer incessamment un courrier pour l'instruire de tout ce qui se serait passé. Leurs adieux furent aussi tendres que l'avait été leur reconnaissance. Le moment où l'on se retrouve, et celui où l'on se sépare sont les deux plus grandes époques de la vie, comme dit le grand livre du Zend. Zadig aimait la reine autant qu'il le jurait, et la reine aimait Zadig plus qu'elle ne le lui disait.

Cependant Zadig parla ainsi à Ogul: Seigneur, on ne mange point mon basilic, toute sa vertu doit entrer chez vous par les pores. Je l'ai mis dans une petite outre bien enflée et couverte d'une peau fine: il faut que vous poussiez cette outre de toute votre force, et que je vous la renvoie à plusieurs reprises; et en peu de jours de régime vous verrez ce que peut mon art. Ogul, dès le premier jour, fut tout essoufflé, et crut qu'il mourrait de fatigue. Le second, il fut moins fatigué, et dormit mieux. En huit jours il recouvra toute la force, la santé, la légèreté, et la gaieté de ses plus brillantes années. — Vous avez joué au ballon, et vous avez été sobre, lui dit Zadig: apprenez qu'il n'y a point de basilic dans la nature, qu'on se porte toujours bien avec de la sobriété et de l'exercice, et que l'art de faire subsister ensemble l'intempérance et la santé est un art aussi chimérique que la pierre philosophale, l'astrologie judiciaire, et la théologie des mages.

Le premier médecin d'Ogul, sentant combien cet

homme était dangereux pour la médecine, s'unit avec l'apothicaire du corps[1] pour envoyer Zadig chercher des basilics dans l'autre monde. Ainsi, après avoir été toujours puni pour avoir bien fait, il était près de périr pour avoir guéri un seigneur gourmand. On l'invita à un excellent dîner. Il devait être empoisonné au second service ; mais il reçut un courrier de la belle Astarté au premier. Il quitta la table et partit. Quand on est aimé d'une belle femme, dit le grand Zoroastre, on se tire toujours d'affaire dans ce monde.

CHAPITRE XIX

LES COMBATS

La reine avait été reçue à Babylone avec les transports qu'on a toujours pour une belle princesse qui a été malheureuse. Babylone alors paraissait être plus tranquille. Le prince d'Hyrcanie avait été tué dans un combat. Les Babyloniens vainqueurs déclarèrent qu'Astarté épouserait celui qu'on choisirait pour souverain. On ne voulut point que la première place du monde qui serait celle de mari d'Astarté et de roi de Babylone, dépendît des intrigues et des cabales. On jura de reconnaître pour roi le plus vaillant et le plus sage. Une grande lice, bordée d'amphithéâtres magnifiquement ornés, fut formée à quelques lieues de la ville. Les combattants devaient s'y rendre armés de toutes pièces. Chacun d'eux avait derrière les amphithéâtres un appartement séparé, où il ne devait être vu ni connu de personne. Il fallait courir quatre lances. Ceux qui seraient assez heureux pour vaincre quatre chevaliers devaient combattre ensuite les uns contre les autres de façon que celui qui resterait le dernier maître du camp serait proclamé le vainqueur des jeux. Il devait revenir quatre jours après avec 5 les mêmes armes, et expliquer les énigmes proposées par les mages. S'il n'expliquait point les énigmes, il n'était point roi, et il fallait recommencer à courir des lances, jusqu'à ce qu'on trouvât un homme qui fût vainqueur dans ces deux combats; car on voulait ab-10 solument pour roi le plus vaillant et le plus sage. La reine pendant tout ce temps, devait être étroitement gardée: on lui permettait seulement d'assister aux jeux couverte d'un voile; mais on ne souffrait pas qu'elle parlât à aucun des prétendants, afin qu'il n'y 15 eût ni faveur ni injustice.

Voilà ce qu'Astarté faisait savoir à son amant, espérant qu'il montrerait pour elle plus de valeur et d'esprit que personne. Il arriva sur le rivage de l'Euphrate, la veille de ce grand jour. Il fit inscrire sa 20 devise parmi celles des combattants, en cachant son visage et son nom comme la loi l'ordonnait, et alla se reposer dans l'appartement qui lui échut par le sort. Son ami Cador qui était revenu à Babylone, après l'avoir inutilement cherché en Égypte, fit porter dans sa 25 loge une armure complète que la reine lui envoyait. Il lui fit amener aussi de sa part le plus beau cheval de Perse. Zadig reconnut Astarté à ces présents: son courage et son amour en prirent de nouvelles forces et de nouvelles espérances.

30 Le lendemain, la reine étant venue se placer sous un dais de pierreries, et les amphithéâtres étant remplis de toutes les dames et de tous les ordres de Baby-

lone, les combattants parurent dans le cirque. Chacun d'eux vint mettre sa devise aux pieds du grand mage. On tira au sort les devises; celle de Zadig fut la dernière. Le premier qui s'avança était un seigneur très riche, nommé Itobad, fort vain, peu courageux, très maladroit, et sans esprit. Ses domestiques l'avaient persuadé qu'un homme comme lui devait être roi; il leur avait répondu: Un homme comme moi doit régner; ainsi on l'avait armé de pied en cap. Il portait une armure d'or émaillée de vert, un panache vert, une lance ornée de rubans verts. On s'aperçut d'abord, à la manière dont Itobad gouvernait son cheval, que ce n'était pas *un homme comme lui* à qui le ciel réservait le sceptre de Babylone. Le premier chevalier qui courut contre lui le désarçonna; le second le renversa sur la croupe de son cheval, les deux jambes en l'air et les bras étendus. Itobad se remit, mais de si mauvaise grâce que tout l'amphithéâtre se mit à rire. Un troisième ne daigna pas se servir de sa lance; mais en lui faisant une passe, il le prit par la jambe droite et, lui faisant faire un demi-tour, il le fit tomber sur le sable: les écuyers des jeux accoururent à lui en riant, et le remirent en selle. Le quatrième combattant le prend par la jambe gauche et le fait tomber de l'autre côté. On le conduisit avec des huées à sa loge, où il devait passer la nuit selon la loi; et il disait en marchant à peine: Quelle aventure pour un homme comme moi!

Les autres chevaliers s'acquittèrent mieux de leur devoir. Il y en eut qui vainquirent deux combattants de suite; quelques-uns allèrent jusqu'à trois. Il n'y eut que le prince Otame qui en vainquit quatre. En-

fin Zadig combattit à son tour: il désarçonna quatre cavaliers de suite avec toute la grâce possible. Il fallut donc voir qui serait vainqueur d'Otame ou de Zadig. Le premier portait des armes bleues et or, avec
5 un panache de même; celles de Zadig étaient blanches. Tous les vœux se partagaient entre le chevalier bleu et le chevalier blanc. La reine, à qui le cœur palpitait, faisait des prières au Ciel pour la couleur blanche.

Les deux champions firent des passes et des voltes
10 avec tant d'agilité, ils se donnèrent de si beaux coups de lance, ils étaient si fermes sur leurs arçons, que tout le monde, hors la reine, souhaitait qu'il y eût deux rois dans Babylone. Enfin, leurs chevaux étant lassés et leurs lances rompues, Zadig usa de cette
15 adresse: il passe derrière le prince bleu, s'élance sur la croupe de son cheval, le prend par le milieu du corps, le jette à terre, se met en selle à sa place et caracole autour d'Otame étendu sur la place. Tout l'amphithéâtre crie: Victoire au chevalier blanc!
20 Otame indigné se relève, tire son épée; Zadig saute de cheval, le sabre à la main. Les voilà tous deux sur l'arène, livrant un nouveau combat, où la force et l'agilité triomphent tour à tour. Les plumes de leur casque, les clous de leurs brassards, les mailles de leur
25 armure sautent au loin sous mille coups précipités. Ils frappent de pointe et de taille, à droite, à gauche, sur la tête, sur la poitrine; ils reculent, ils avancent, ils se mesurent, ils se rejoignent, ils se saisissent, ils se replient comme des serpents, ils s'attaquent comme
30 des lions; le feu jaillit à tout moment des coups qu'ils se portent. Enfin Zadig ayant un moment repris ses esprits, s'arrête, fait une feinte, passe sur Otame, le

fait tomber, le désarme, et Otame s'écrie: O chevalier blanc! c'est vous qui devez régner sur Babylone. La reine était au comble de la joie. On reconduisit le chevalier bleu et le chevalier blanc chacun à leur loge, ainsi que tous les autres, selon ce qui était porté par 5 la loi. Des muets vinrent les servir et leur apporter à manger. On peut juger si le petit muet de la reine ne fut pas celui qui servit Zadig. Ensuite on les laissa dormir seuls jusqu'au lendemain matin, temps où le vainqueur devait apporter sa devise au grand mage, 10 pour la confronter et se faire reconnaître.

Zadig dormit, quoique amoureux, tant il était fatigué. Itobad, qui était couché auprès de lui, ne dormit point. Il se leva pendant la nuit, entra dans sa loge, prit les armes blanches de Zadig avec sa devise, et 15 mit son armure verte à la place. Le point du jour étant venu, il alla fièrement au grand mage déclarer qu'un homme comme lui était vainqueur. On ne s'y attendait pas; mais il fut proclamé pendant que Zadig dormait encore. Astarté, surprise, et le désespoir 20 dans le cœur, s'en retourna dans Babylone. Tout l'amphithéâtre était déjà presque vide, lorsque Zadig s'éveilla; il chercha ses armes, et ne trouva que cette armure verte. Il était obligé de s'en couvrir n'ayant rien autre chose auprès de lui. Étonné et indigné, il 25 les endosse avec fureur, il avance dans cet équipage.

Tout ce qui était encore sur l'amphithéâtre et dans le cirque le reçut avec des huées. On l'entourait; on lui insultait en face. Jamais homme n'essuya des mortifications si humiliantes. La patience lui échappa; il 30 écarta à coups de sabre la populace qui osait l'outrager; mais il ne savait quel parti prendre. Il ne

pouvait voir la reine; il ne pouvait réclamer l'armure blanche qu'elle lui avait envoyée; c'eût été la compromettre: ainsi, tandis qu'elle était plongée dans la douleur, il était pénétré de fureur et d'inquiétude. Il se
5 promenait sur les bords de l'Euphrate, persuadé que son étoile le destinait à être malheureux sans ressource, repassant dans son esprit toutes ses disgrâces depuis l'aventure de la femme qui haïssait les borgnes, jusqu'à celle de son armure. Voilà ce que c'est, disait-il,
10 de m'être éveillé trop tard; si j'avais moins dormi, je serais roi de Babylone, je posséderais Astarté. Les sciences, les mœurs, le courage, n'ont donc jamais servi qu'à mon infortune. Il lui échappa enfin de murmurer contre la Providence, et il fut tenté de
15 croire que tout était gouverné par une destinée cruelle qui opprimait les bons et qui faisait prospérer les chevaliers verts. Un de ses chagrins était de porter cette armure verte qui lui avait attiré tant de huées. Un marchand passa, il la lui vendit à vil prix et prit du
20 marchand une robe et un bonnet long. Dans cet équipage, il côtoyait l'Euphrate, rempli de désespoir et accusant en secret la Providence qui le persécutait toujours.

CHAPITRE XX

L'ERMITE [1]

Il rencontra en marchant un ermite, dont la barbe
25 blanche et vénérable lui descendait jusqu'à la ceinture. Il tenait en main un livre qu'il lisait attentivement. Zadig s'arrêta, et lui fit une profonde inclination. L'ermite le salua d'un air si noble et si doux,

que Zadig eut la curiosité de l'entretenir. Il lui demanda quel livre il lisait. — C'est le livre des destinées, dit l'ermite ; voulez-vous en lire quelque chose ? Il mit le livre dans les mains de Zadig, qui, tout instruit qu'il était dans plusieurs langues, ne put déchiffrer un seul caractère du livre. Cela redoubla encore sa curiosité. — Vous me paraissez bien chagrin, lui dit ce bon père. — Hélas ! que j'en ai sujet ! dit Zadig. — Si vous permettez que je vous accompagne, repartit le vieillard, peut-être vous serai-je utile : j'ai quelquefois répandu des sentiments de consolation dans l'âme des malheureux. Zadig se sentit du respect pour l'air, pour la barbe, et pour le livre de l'ermite. Il lui trouva dans la conversation des lumières supérieures. L'ermite parlait de la destinée, de la justice, de la morale, du souverain bien, de la faiblesse humaine, des vertus et des vices, avec une éloquence si vive et si touchante, que Zadig se sentit entraîné vers lui par un charme invincible. Il le pria avec instance de ne le point quitter, jusqu'à ce qu'ils fussent de retour à Babylone. Je vous demande moi-même cette grâce, lui dit le vieillard ; jurez-moi par Orosmade que vous ne vous séparerez point de moi d'ici à quelques jours, quelque chose que je fasse. Zadig jura, et ils partirent ensemble.

Les deux voyageurs arrivèrent le soir à un château superbe. L'ermite demanda l'hospitalité pour lui et pour le jeune homme qui l'accompagnait. Le portier, qu'on aurait pris pour un grand seigneur, les introduisit avec une espèce de bonté dédaigneuse. On les présenta à un principal domestique, qui leur fit voir les appartements magnifiques du maître. Ils furent admis à sa table au bas bout, sans que le seigneur du château les honorât d'un regard; mais ils furent servis comme les autres avec délicatesse et profusion. On leur donna ensuite à laver dans un bassin d'or garni 5 d'émeraudes et de rubis. On les mena coucher dans un bel appartement, et le lendemain matin un domestique leur apporta à chacun une pièce d'or, après quoi on les congédia.

— Le maître de la maison, dit Zadig en chemin, me 10 paraît être un homme généreux, quoique un peu fier; il exerce noblement l'hospitalité. En disant ces paroles, il aperçut qu'une espèce de poche très large que portait l'ermite paraissait tendue et enflée: il y vit le bassin d'or garni de pierreries, que celui-ci avait volé. 15 Il n'osa d'abord en rien témoigner; mais il était dans une étrange surprise.

Vers le midi, l'ermite se présenta à la porte d'une maison très petite, où logeait un riche avare; il y demanda l'hospitalité pour quelques heures. Un vieux 20 valet mal habillé le reçut d'un ton rude, et fit entrer l'ermite et Zadig dans l'écurie, où on leur donna quelques olives pourries, de mauvais pain et de la bière gâtée. L'ermite but et mangea d'un air aussi content que la veille; puis s'adressant à ce vieux valet qui les 25 observait tous deux pour voir s'ils ne volaient rien, et qui les pressait de partir, il lui donna les deux pièces d'or qu'il avait reçues le matin, et le remercia de toutes ses attentions. — Je vous prie, ajouta-t-il, faites-moi parler à votre maître. Le valet étonné in- 30 troduisit les deux voyageurs: Magnifique seigneur, dit l'ermite, je ne puis que vous rendre de très humbles grâces de la manière noble dont vous nous avez reçus : daignez accepter ce bassin d'or comme un faible gage de ma reconnaissance. L'avare fut près de tomber à la renverse. L'ermite ne lui donna pas le temps de revenir de son saisissement, il partit au plus vite avec son jeune voyageur. — Mon père, lui dit Zadig, 5 qu'est-ce que tout ce que je vois ? Vous ne me paraissez ressembler en rien aux autres hommes : vous volez un bassin d'or garni de pierreries à un seigneur qui vous reçoit magnifiquement, et vous le donnez à un avare qui vous traite avec indignité. — Mon fils, 10 répondit le vieillard, cet homme magnifique, qui ne reçoit les étrangers que par vanité et pour faire admirer ses richesses, deviendra plus sage ; l'avare apprendra à exercer l'hospitalité : ne vous étonnez de rien, et suivez-moi. Zadig ne savait encore s'il avait 15 affaire au plus fou ou au plus sage de tous les hommes ; mais l'ermite parlait avec tant d'ascendant, que Zadig, lié d'ailleurs par son serment, ne put s'empêcher de le suivre.

Ils arrivèrent le soir à une maison agréablement 20 bâtie, mais simple, où rien ne sentait ni la prodigalité ni l'avarice. Le maître était un philosophe retiré du monde, qui cultivait en paix la sagesse et la vertu, et qui cependant ne s'ennuyait pas. Il s'était plu à bâtir cette retraite dans laquelle il recevait les étrangers 25 avec une noblesse qui n'avait rien de l'ostentation. Il alla lui-même au-devant des deux voyageurs, qu'il fit reposer d'abord dans un appartement commode. Quelque temps après, il les vint prendre lui-même pour les inviter à un repas propre et bien entendu, pendant 30 lequel il parla avec discrétion des dernières révolutions de Babylone. Il parut sincèrement attaché à la

reine, et souhaita que Zadig eût paru dans la lice pour disputer la couronne ; mais les hommes, ajouta-t-il, ne méritent pas d'avoir un roi comme Zadig. Celui-ci rougissait et sentait redoubler ses douleurs. On con-
5 vint dans la conversation que les choses de ce monde n'allaient pas toujours au gré des plus sages. L'ermite soutint toujours qu'on ne connaissait pas les voies de la Providence, et que les hommes avaient tort de juger d'un tout dont ils n'apercevaient que la plus
10 petite partie.

On parla des passions. — Ah ! qu'elles sont funestes ! disait Zadig. — Ce sont les vents qui enflent les voiles du vaisseau, repartit l'ermite : elles le submergent quelquefois ; mais sans elles il ne pourrait voguer. La
15 bile rend colère et malade ; mais sans la bile l'homme ne saurait vivre. Tout est dangereux ici-bas, et tout est nécessaire.

On parla de plaisir, et l'ermite prouva que c'est un présent de la Divinité ; car, dit-il, l'homme ne peut se
20 donner ni sensations ni idées, il reçoit tout ; la peine et le plaisir lui viennent d'ailleurs comme son être.

Zadig admirait comment un homme qui avait fait des choses si extravagantes pouvait raisonner si bien. Enfin, après un entretien aussi instructif qu'agréable,
25 l'hôte reconduisit ses deux voyageurs dans leur appartement, en bénissant le ciel qui lui avait envoyé deux hommes si sages et si vertueux. Il leur offrit de l'argent d'une manière aisée et noble qui ne pouvait déplaire. L'ermite le refusa, et lui dit qu'il prenait congé
30 de lui, comptant partir pour Babylone avant le jour. Leur séparation fut tendre, Zadig surtout se sentait plein d'estime et d'inclination pour un homme si aimable.

Quand l'ermite et lui furent dans leur appartement, ils firent longtemps l'éloge de leur hôte. Le vieillard au point du jour éveilla son camarade. — Il faut partir, dit-il; mais tandis que tout le monde dort encore, je veux laisser à cet homme un témoignage de mon estime et de mon affection. En disant ces mots, il prit un flambeau, et mit le feu à la maison. Zadig épouvanté jeta des cris, et voulut l'empêcher de commettre une action si affreuse. L'ermite l'entraînait par une force supérieure; la maison était enflammée. L'ermite, qui était déjà assez loin avec son compagnon, la regardait brûler tranquillement. — Dieu merci! dit-il, voilà la maison de mon cher hôte détruite de fond en comble! L'heureux homme! A ces mots Zadig fut tenté à la fois d'éclater de rire, de dire des injures au révérend père, de le battre, et de s'enfuir; mais il ne fit rien de tout cela, et, toujours subjugué par l'ascendant de l'ermite, il le suivit malgré lui à la dernière couchée.

Ce fut chez une veuve charitable et vertueuse qui avait un neveu de quatorze ans, plein d'agréments, et son unique espérance. Elle fit du mieux qu'elle put les honneurs de sa maison. Le lendemain, elle ordonna à son neveu d'accompagner les voyageurs jusqu'à un pont qui, étant rompu depuis peu, était devenu un passage dangereux. Le jeune homme empressé marche au-devant d'eux. Quand ils furent sur le pont: — Venez, dit l'ermite au jeune homme, il faut que je marque ma reconnaissance à votre tante. Il le prend alors par les cheveux et le jette dans la rivière. L'enfant tombe, reparaît un moment sur l'eau, et est engouffré dans le torrent. — O monstre! ô le plus scélérat de tous les hommes! s'écria Zadig. — Vous m'aviez promis plus de patience, lui dit l'ermite en l'interrompant: apprenez que sous les ruines de cette maison où la Providence a mis le feu, le maître a trouvé un trésor immense: apprenez que ce jeune homme dont la Providence a tordu le cou aurait assassiné sa tante dans un an, et vous dans deux. — Qui te l'a dit, barbare? cria Zadig; et quand tu aurais lu cet événement dans ton livre des destinées, t'est-il permis de noyer un enfant qui ne t'a point fait de mal?

Tandis que le Babylonien parlait, il aperçut que le vieillard n'avait plus de barbe, que son visage prenait les traits de la jeunesse. Son habit d'ermite disparut; quatre belles ailes couvraient un corps majestueux et resplendissant de lumière. — O envoyé du Ciel! ô ange divin! s'écria Zadig en se prosternant, tu es donc descendu de l'empyrée pour apprendre à un faible mortel à se soumettre aux ordres éternels? — Les hommes, dit l'ange Jesrad, jugent de tout sans rien connaître: tu étais celui de tous les hommes qui méritait le plus d'être éclairé. Zadig lui demanda la permission de parler. Je me défie de moi-même, dit-il: mais oserai-je te prier de m'éclaircir un doute: ne vaudrait-il pas mieux avoir corrigé cet enfant, et l'avoir rendu vertueux, que de le noyer? Jesrad reprit: S'il avait été vertueux et s'il eût vécu, son destin était d'être assassiné lui-même avec la femme qu'il devait épouser, et le fils qui en devait naître. — Mais quoi! dit Zadig, il est donc nécessaire qu'il y ait des crimes et des malheurs? et les malheurs tombent sur les gens de bien! — Les méchants, répondit Jesrad, sont toujours malheureux : ils servent à éprouver un petit nombre de justes répandus sur la terre, et il n'y a point de mal dont il ne naisse un bien. — Mais, dit Zadig, s'il n'y avait que du bien, et point de mal ? — Alors, reprit Jesrad, cette terre serait une autre terre, l'enchaînement des événements serait un autre ordre de sagesse ; et cet ordre, qui serait parfait, ne peut être que dans la demeure éternelle de l'Être suprême, de qui le mal ne peut approcher. Il a créé des millions de mondes, dont aucun ne peut ressembler à l'autre. Cette immense variété est un attribut de sa puissance immense. Il n'y a ni deux feuilles d'arbre sur la terre, ni deux globes dans les champs infinis du ciel, qui soient semblables, et tout ce que tu vois sur le petit atome où tu es né devait être dans sa place et dans son temps fixe, selon les ordres immuables de celui qui embrasse tout. Les hommes pensent que cet enfant qui vient de périr est tombé dans l'eau par hasard, que c'est par un même hasard que cette maison est brûlée : mais il n'y a point de hasard ; tout est épreuve, ou punition, ou récompense, ou prévoyance. Souviens-toi de ce pêcheur qui se croyait le plus malheureux de tous les hommes. Orosmade t'a envoyé pour changer sa destinée. Faible mortel ! cesse de disputer contre ce qu'il faut adorer. — Mais, dit Zadig. Comme il disait *mais*,... l'ange prenait déjà son vol vers la dixième sphère. Zadig à genoux adora la Providence, et se soumit. L'ange lui cria du haut des airs : Prends ton chemin vers Babylone.

CHAPITRE XXI

LES ÉNIGMES

Zadig hors de lui-même, et comme un homme auprès de qui est tombé le tonnerre, marchait au hasard. Il entra dans Babylone le jour où ceux qui avaient combattu dans la lice étaient déjà assemblés dans le grand vestibule du palais pour expliquer les énigmes, et pour répondre aux questions du grand mage. Tous les chevaliers étaient arrivés, excepté l'armure verte. Dès que Zadig parut dans la ville, le peuple s'assembla autour de lui; les yeux ne se rassasiaient point de le voir, les bouches de le bénir, les cœurs de lui souhaiter l'Empire. L'Envieux le vit passer, frémit et se détourna; le peuple le porta jusqu'au lieu de l'assemblée. La reine, à qui on apprit son arrivée, fut en proie à l'agitation de la crainte et de l'espérance; l'inquiétude la dévorait: elle ne pouvait comprendre, ni pourquoi Zadig était sans armes, ni comment Itobad portait l'armure blanche. Un murmure confus s'éleva à la vue de Zadig. On était surpris et charmé de le revoir; mais il n'était permis qu'aux chevaliers qui avaient combattu de paraître dans l'assemblée.

— J'ai combattu comme un autre, dit-il; mais un autre porte ici mes armes; et en attendant que j'aie l'honneur de le prouver, je demande la permission de me présenter pour expliquer les énigmes. On alla aux voix: sa réputation de probité était encore si fortement imprimée dans les esprits, qu'on ne balança pas à l'admettre.

Le grand mage proposa d'abord cette question:

Quelle est de toutes les choses du monde la plus longue et la plus courte, la plus prompte et la plus lente, la plus divisible et la plus étendue, la plus négligée et la plus regrettée, sans qui rien ne se peut faire, qui dévore tout ce qui est petit, et qui vivifie tout ce qui 5
est grand?

C'était à Itobad à parler. Il répondit qu'un homme comme lui n'entendait rien aux énigmes, et qu'il lui suffisait d'avoir vaincu à grands coups de lance. Les uns dirent que le mot de l'énigme était la fortune, 10
d'autres la terre, d'autres la lumière. Zadig dit que c'était le temps: Rien n'est plus long, ajouta-t-il, puisqu'il est la mesure de l'éternité, rien n'est plus court, puisqu'il manque à tous nos projets; rien n'est plus lent pour qui attend; rien de plus rapide pour qui 15
jouit; il s'étend jusqu'à l'infini en grand; il se divise jusque dans l'infini en petit; tous les hommes le négligent, tous en regrettent la perte; rien ne se fait sans lui; il fait oublier tout ce qui est indigne de la postérité, et il immortalise les grandes choses. L'assemblée con- 20
vint que Zadig avait raison.

On demanda ensuite: Quelle est la chose qu'on reçoit sans remercier, dont on jouit sans savoir comment, et qu'on perd sans s'en apercevoir?

Chacun dit son mot: Zadig devina seul que c'était 25
la vie. Il expliqua toutes les autres énigmes avec la même facilité. Itobad disait toujours que rien n'était plus aisé, et qu'il en serait venu à bout tout aussi facilement, s'il avait voulu s'en donner la peine. On proposa des questions sur la justice, sur le souverain 30
bien, sur l'art de régner. Les réponses de Zadig furent jugées les plus solides. C'est bien dommage,

disait-on, qu'un si bon esprit soit un si mauvais cavalier.

— Illustres seigneurs, dit Zadig, j'ai eu l'honneur de vaincre dans la lice. C'est à moi qu'appartient l'armure 5 blanche. Le seigneur Itobad s'en empara pendant mon sommeil : il jugea apparemment qu'elle lui siérait mieux que la verte. Je suis prêt à lui prouver d'abord devant vous, avec ma robe et mon épée, contre toute cette belle armure blanche qu'il m'a prise, que c'est moi 10 qui ai eu l'honneur de vaincre le brave Otame.

Itobad accepta le défi avec la plus grande confiance. Il ne doutait pas qu'étant casqué, cuirassé, brassardé, il ne vînt aisément à bout d'un champion en bonnet de nuit et en robe de chambre. Zadig tira son épée, en 15 saluant la reine qui le regardait, pénétrée de joie et de crainte. Itobad tira la sienne, en ne saluant personne. Il s'avança vers Zadig comme un homme qui n'avait rien à craindre. Il était prêt à lui fendre la tête : Zadig sut parer le coup, en opposant ce qu'on appelle le fort 20 de l'épée au faible de son adversaire, de façon que l'épée d'Itobad se rompit. Alors Zadig saisissant son ennemi au corps le renversa par terre, et, lui portant la pointe de son épée au défaut de la cuirasse : Laissez-vous désarmer, dit-il, ou je vous tue. Itobad, toujours 25 surpris des disgrâces qui arrivaient à un homme comme lui, laissa faire Zadig, qui lui ôta paisiblement son magnifique casque, sa superbe cuirasse, ses beaux brassards, ses brillants cuissards ; s'en revêtit, et courut dans cet équipage se jeter aux genoux d'Astarté. Cador 30 prouva aisément que l'armure appartenait à Zadig. Il fut reconnu roi d'un consentement unanime, et surtout de celui d'Astarté, qui goûtait, après tant d'adversités, la douceur de voir son amant digne aux yeux de l'univers d'être son époux. Itobad alla se faire appeler monseigneur dans sa maison. Zadig fut roi, et heureux. Il avait présent à l'esprit ce que lui avait dit l'ange Jesrad. Il se souvenait même du grain de sable devenu diamant. La reine et lui adorèrent la Providence. Zadig laissa la belle capricieuse Missouf courir le monde. Il envoya chercher le brigand Arbogad, auquel il donna un grade honorable dans son armée, avec promesse de l'avancer aux premières dignités, s'il se comportait en vrai guerrier, et de le faire pendre, s'il faisait le métier de brigand.

Sétoc fut appelé du fond de l'Arabie, avec la belle Almona, pour être à la tête du commerce de Babylone. Cador fut placé et chéri selon ses services ; il fut l'ami du roi, et le roi fut alors le seul monarque de la terre qui eût un ami. Le petit muet ne fut pas oublié. On donna une belle maison au pêcheur. Orcan fut condamné à lui payer une grosse somme, et à lui rendre sa femme ; mais le pêcheur, devenu sage, ne prit que l'argent.

Ni la belle Sémire ne se consolait d'avoir cru que Zadig serait borgne, ni Azora ne cessait de pleurer d'avoir voulu lui couper le nez. Il adoucit leurs douleurs par des présents. L'Envieux mourut de rage et de honte. L'Empire jouit de la paix, de la gloire et de l'abondance : ce fut le plus beau siècle de la terre ; elle était gouvernée par la justice et par l'amour. On bénissait Zadig, et Zadig bénissait le Ciel.[1]

MICROMÉGAS

HISTOIRE PHILOSOPHIQUE

(1752)

CHAPITRE I

VOYAGE D'UN HABITANT DU MONDE DE L'ÉTOILE SIRIUS DANS LA PLANÈTE DE SATURNE

Dans une de ces planètes qui tournent autour de l'étoile nommée Sirius, il y avait un jeune homme de beaucoup d'esprit, que j'ai eu l'honneur de connaître dans le dernier voyage qu'il fit sur notre petite fourmi-
5 lière ; il s'appelait Micromégas, nom qui convient fort à tous les grands. Il avait huit lieues de haut : j'entends par huit lieues, vingt-quatre mille pas géométriques de cinq pieds chacun.

Quelques géomètres, gens toujours utiles au public,
10 prendront sur-le-champ la plume, et trouveront que, puisque M. Micromégas, habitant du pays de Sirius, a de la tête aux pieds vingt-quatre mille pas, qui font cent vingt mille pieds de roi, et que nous autres citoyens de la Terre nous n'avons guère que cinq pieds, et que
15 notre globe a neuf mille lieues de tour ; ils trouveront, dis-je, qu'il faut absolument que le globe qui l'a produit ait au juste vingt-un millions six cent mille fois plus de circonférence que notre petite Terre. Rien n'est plus simple et plus ordinaire dans la nature. Les États
20 de quelques souverains d'Allemagne ou d'Italie, dont

on peut faire le tour en une demi-heure, comparés à l'empire de Turquie, de Moscovie ou de la Chine, ne sont qu'une très faible image des prodigieuses différences que la nature a mises dans tous les êtres.

La taille de Son Excellence étant de la hauteur que j'ai dite, tous nos sculpteurs et tous nos peintres conviendront sans peine que sa ceinture peut avoir cinquante mille pieds de roi de tour; ce qui fait une très jolie proportion.

Quant à son esprit, c'est un des plus cultivés que nous ayons; il sait beaucoup de choses; il en a inventé quelques-unes: il n'avait pas encore deux cent cinquante ans, et il étudiait, selon la coutume, au collège des jésuites[1] de sa planète, lorsqu'il devina, par la force de son esprit, plus de cinquante propositions d'Euclide. C'est dix-huit de plus que Blaise Pascal,[2] lequel, après en avoir deviné trente-deux en se jouant, à ce que dit sa sœur, devint depuis un géomètre assez médiocre, et un fort mauvais métaphysicien. Vers les quatre cent cinquante ans, au sortir de l'enfance, il disséqua beaucoup de ces petits insectes qui n'ont pas cent pieds de diamètre, et qui se dérobent aux microscopes ordinaires; il en composa un livre fort curieux, mais qui lui fit quelques affaires. Le mufti[3] de son pays, grand vétillard et fort ignorant, trouva dans son livre des propositions suspectes, malsonnantes, téméraires, hérétiques, sentant l'hérésie, et le poursuivit vivement: il s'agissait de savoir si la forme substantielle des puces de Sirius était de même nature que celle des colimaçons. Micromégas se défendit avec esprit, il mit les femmes de son côté; le procès dura deux cent vingt ans. Enfin le mufti fit condamner le livre par des jurisconsultes qui ne l'avaient pas lu, et l'auteur eut ordre de ne paraître à la cour de huit cents années.

Il ne fut que médiocrement affligé d'être banni d'une cour qui n'était remplie que de tracasseries et de petitesses. Il fit une chanson fort plaisante contre le mufti, dont celui-ci ne s'embarrassa guère ; et il se mit à voyager de planète en planète, pour achever de se former *l'esprit et le cœur*,[1] comme l'on dit. Ceux qui ne voyagent qu'en chaise de poste ou en berline seront sans doute étonnés des équipages de là-haut ; car nous autres, sur notre petit tas de boue, nous ne concevons rien au delà de nos usages. Notre voyageur connaissait merveilleusement les lois de la gravitation, et toutes les forces attractives et répulsives. Il s'en servait si à propos, que, tantôt à l'aide d'un rayon de soleil, tantôt par la commodité d'une comète, il allait de globe en globe, lui et les siens, comme un oiseau voltige de branche en branche. Il parcourut la voie lactée en peu de temps ; et je suis obligé d'avouer qu'il ne vit jamais à travers les étoiles dont elle est semée, ce beau ciel empyrée que l'illustre vicaire Derham[2] se vante d'avoir vu au bout de sa lunette. Ce n'est pas que je prétende que M. Derham ait mal vu, à Dieu ne plaise ! mais Micromégas était sur les lieux, c'est un bon observateur, et je ne veux contredire personne. Micromégas, après avoir bien tourné, arriva dans le globe de Saturne. Quelque accoutumé qu'il fût à voir des choses nouvelles, il ne put d'abord, en voyant la petitesse du globe et de ses habitants, se défendre de ce sourire de supériorité qui échappe quelquefois aux plus sages. Car enfin Saturne n'est guère que neuf cents fois plus gros que la Terre, et les citoyens de ce pays-là sont des nains qui n'ont que mille toises de haut environ. Il s'en moqua d'abord un peu avec ses gens, à peu près comme un musicien italien se met à rire de la musique de Lulli,[1] quand il vient en France. Mais, comme le Sirien avait un bon esprit, il comprit bien vite qu'un être pensant peut fort bien n'être pas ridicule pour n'avoir que six mille pieds de haut. Il se familiarisa avec les Saturniens, après les avoir étonnés. Il lia une étroite amitié avec le secrétaire de l'Académie de Saturne,[2] homme de beaucoup d'esprit, qui n'avait, à la vérité, rien inventé, mais qui rendait un fort beau compte des inventions des autres, et qui faisait passablement de petits vers et de grands calculs. Je rapporterai ici, pour la satisfaction des lecteurs, une conversation singulière que Micromégas eut un jour avec M. le secrétaire.

CHAPITRE II

CONVERSATION DE L'HABITANT DE SIRIUS AVEC CELUI DE SATURNE

Après que Son Excellence se fut couchée, et que le secrétaire se fut approché de son visage : Il faut avouer, dit Micromégas, que la nature est bien variée. — Oui, dit le Saturnien, la nature est comme un parterre dont les fleurs... — Ah ! dit l'autre, laissez là votre parterre. — Elle est, reprit le secrétaire, comme une assemblée de blondes ou de brunes, dont les parures... — Eh ! qu'ai-je à faire de vos brunes ? dit l'autre. — Elle est donc comme une galerie de peintures dont les traits... — Eh non ! dit le voyageur, encore une fois

la nature est comme la nature. Pourquoi lui chercher des comparaisons? — Pour vous plaire, répondit le secrétaire. — Je ne veux point qu'on me plaise, répondit le voyageur; je veux qu'on m'instruise: commencez
5 d'abord par me dire combien les hommes de votre globe ont de sens. — Nous en avons soixante et douze, dit l'académicien, et nous nous plaignons tous les jours du peu. Notre imagination va au delà de nos besoins; nous trouvons qu'avec nos soixante et douze sens, notre
10 anneau, nos cinq lunes, nous sommes trop bornés; et, malgré toute notre curiosité et le nombre assez grand de passions qui résultent de nos soixante et douze sens, nous avons tout le temps de nous ennuyer. — Je le crois bien, dit Micromégas; car dans notre globe nous avons
15 près de mille sens; et il nous reste encore je ne sais quel désir vague, je ne sais quelle inquiétude, qui nous avertit sans cesse que nous sommes peu de chose, et qu'il y a des êtres beaucoup plus parfaits. J'ai un peu voyagé: j'ai vu des mortels fort au-dessous de nous;
20 j'en ai vu de fort supérieurs: mais je n'en ai vu aucuns qui n'aient plus de désirs que de vrais besoins, et plus de besoins que de satisfaction. J'arriverai peut-être un jour au pays où il ne manque rien; mais jusqu'à présent personne ne m'a donné de nouvelles positives
25 de ce pays-là. Le Saturnien et le Sirien s'épuisèrent alors en conjectures; mais, après beaucoup de raisonnements fort ingénieux et fort incertains, il en fallut revenir aux faits. — Combien de temps vivez-vous? dit le Sirien. — Ah! bien peu, répliqua le petit homme de
30 Saturne. — C'est tout comme chez nous, dit le Sirien: nous nous plaignons toujours du peu. Il faut que ce soit une loi universelle de la nature. — Hélas! nous

ne vivons, dit le Saturnien, que cinq cents grandes révolutions du soleil. (Cela revient à quinze mille ans ou environ, à compter à notre manière.) Vous voyez bien que c'est mourir presque au moment que l'on est né; notre existence est un point, notre durée un instant, notre globe un atome. A peine a-t-on commencé à s'instruire un peu que la mort arrive avant qu'on ait de l'expérience. Pour moi, je n'ose faire aucuns projets; je me trouve comme une goutte d'eau dans un océan immense. Je suis honteux, surtout devant vous, de la figure ridicule que je fais dans ce monde.

Micromégas lui repartit: Si vous n'étiez pas philosophe, je craindrais de vous affliger en vous apprenant que notre vie est sept cents fois plus longue que la vôtre; mais vous savez trop bien que quand il faut rendre son corps aux éléments, et ranimer la nature sous une autre forme, ce qui s'appelle mourir; quand ce moment de métamorphose est venu, avoir vécu une éternité, ou avoir vécu un jour, c'est précisément la même chose. J'ai été dans des pays où l'on vit mille fois plus longtemps que chez moi, et j'ai trouvé qu'on y murmurait encore. Mais il y a partout des gens de bon sens qui savent prendre leur parti et remercier l'auteur de la nature. Il a répandu sur cet univers une profusion de variétés avec une espèce d'uniformité admirable. Par exemple, tous les êtres pensants sont différents, et tous se ressemblent au fond par le don de la pensée et des désirs. La matière est partout étendue; mais elle a dans chaque globe des propriétés diverses. Combien comptez-vous de ces propriétés diverses dans votre matière? — Si vous parlez de ces propriétés, dit le Saturnien, sans lesquelles nous croyons que ce globe

ne pourrait subsister tel qu'il est, nous en comptons trois cents, comme l'étendue, l'impénétrabilité, la mobilité, la gravitation, la divisibilité, et le reste. — Apparemment, répliqua le voyageur, que ce petit nombre
5 suffit aux vues que le Créateur avait sur votre petite habitation. J'admire en tout sa sagesse ; je vois partout des différences, mais aussi partout des proportions. Votre globe est petit, vos habitants le sont aussi ; vous avez peu de sensations ; votre matière a peu de
10 propriétés : tout cela est l'ouvrage de la Providence. De quelle couleur est votre soleil bien examiné ? — D'un blanc fort jaunâtre, dit le Saturnien ; et, quand nous divisons un de ses rayons, nous trouvons qu'il contient sept couleurs. — Notre soleil tire sur le rouge,
15 dit le Sirien, et nous avons trente-neuf couleurs primitives. Il n'y a pas un soleil, parmi tous ceux dont j'ai approché, qui se ressemble, comme chez vous il n'y a pas un visage qui ne soit différent de tous les autres.

20 Après plusieurs questions de cette nature, il s'informa combien de substances essentiellement différentes on comptait dans Saturne. Il apprit qu'on n'en comptait qu'une trentaine, comme Dieu, l'espace, la matière, les êtres étendus qui sentent, les êtres éten-
25 dus qui sentent et qui pensent, les êtres pensants qui n'ont point d'étendue ; ceux qui se pénètrent, ceux qui ne se pénètrent pas, et le reste. Le Sirien, chez qui on en comptait trois cents, et qui en avait découvert trois mille autres dans ses voyages, étonna prodigieusement
30 le philosophe de Saturne. Enfin, après s'être communiqué l'un à l'autre un peu de ce qu'ils savaient et beaucoup de ce qu'ils ne savaient pas, après avoir raisonné

pendant une révolution du Soleil, ils résolurent de faire ensemble un petit voyage philosophique.

CHAPITRE III

VOYAGE DES DEUX HABITANTS DE SIRIUS ET DE SATURNE

Nos deux philosophes étaient prêts à s'embarquer dans l'atmosphère de Saturne, avec une jolie provision d'instruments de mathématiques, lorsque la maîtresse du Saturnien, qui en eut des nouvelles, vint en larmes faire ses remontrances. C'était une jolie petite brune qui n'avait que six cent soixante toises, mais qui réparait par bien des agréments la petitesse de sa taille. — Ah ! cruel, s'écria-t-elle, après t'avoir résisté quinze cents ans, lorsque enfin je commençais à me rendre, tu me quittes pour aller voyager avec un géant d'un autre monde ; va, tu n'es qu'un curieux, tu n'as jamais eu d'amour : si tu étais un vrai Saturnien, tu serais fidèle. Où vas-tu courir ? que veux-tu ? nos cinq lunes sont moins errantes que toi, notre anneau est moins changeant. Voilà qui est fait, je n'aimerai jamais plus personne. Le philosophe l'embrassa, pleura avec elle, tout philosophe qu'il était, et la dame, après s'être pâmée, alla se consoler avec un petit-maître du pays.

Cependant nos deux curieux partirent ; ils sautèrent d'abord sur l'anneau, qu'ils trouvèrent assez plat, comme l'a fort bien deviné un illustre habitant[1] de notre petit globe ; de là ils allèrent de lune en lune. Une comète passait tout auprès de la dernière ; ils s'élancèrent sur elle avec leurs domestiques et leurs instruments. Quand ils eurent fait environ cent cinquante millions de lieues, ils rencontrèrent les satellites de Jupiter. Ils passèrent dans Jupiter même, et y restèrent une année, pendant 5 laquelle ils apprirent de fort beaux secrets qui seraient actuellement sous presse sans messieurs les inquisiteurs, qui ont trouvé quelques propositions un peu dures. Mais j'en ai lu le manuscrit dans la bibliothèque de l'illustre archevêque de....., qui m'a laissé voir ses 10 livres avec cette générosité et cette bonté qu'on ne saurait assez louer.

Mais revenons à nos voyageurs. En sortant de Jupiter, ils traversèrent un espace d'environ cent millions de lieues, et ils côtoyèrent la planète de Mars, qui, 15 comme on sait, est cinq fois plus petite que notre petit globe; ils virent deux lunes qui servent à cette planète, et qui ont échappé aux regards de nos astronomes. Je sais bien que le père Castel[1] écrira, et même assez plaisamment, contre l'existence de ces deux lunes; mais 20 je m'en rapporte à ceux qui raisonnent par analogie. Ces bons philosophes-là savent combien il serait difficile que Mars, qui est si loin du soleil, se passât à moins de deux lunes. Quoi qu'il en soit, nos gens trouvèrent cela si petit, qu'ils craignirent de n'y pas trouver de quoi 25 coucher, et ils passèrent leur chemin comme deux voyageurs qui dédaignent un mauvais cabaret de village, et poussent jusqu'à la ville voisine. Mais le Sirien et son compagnon se repentirent bientôt. Ils allèrent longtemps et ne trouvèrent rien. Enfin ils aperçurent une 30 petite lueur, c'était la Terre; cela fit pitié à des gens qui venaient de Jupiter. Cependant, de peur de se repentir une seconde fois, ils résolurent de débarquer.

Ils passèrent sur la queue de la comète, et trouvant une aurore boréale toute prête, ils se mirent dedans, et arrivèrent à terre, sur le bord septentrional de la mer Baltique, le cinq juillet mil sept cent trente-sept, nouveau style.[1] 5

CHAPITRE IV

CE QUI LEUR ARRIVE SUR LE GLOBE DE LA TERRE

Après s'être reposés quelque temps, ils mangèrent à leur déjeuner deux montagnes, que leurs gens leur apprêtèrent assez proprement. Ensuite ils voulurent reconnaître le petit pays où ils étaient. Ils allèrent d'abord du nord au sud. Les pas ordinaires du Sirien 10 et de ses gens étaient d'environ trente mille pieds de roi ; le nain de Saturne suivait de loin en haletant ; or il fallait qu'il fît environ douze pas, quand l'autre faisait une enjambée : figurez-vous (s'il est permis de faire de telles comparaisons) un très petit chien de 15 manchon[2] qui suivrait un capitaine des gardes du roi de Prusse.[3]

Comme ces étrangers-là vont assez vite, ils eurent fait le tour du globe en trente-six heures ; le Soleil à la vérité, ou plutôt la Terre, fait un pareil voyage en 20 une journée ; mais il faut songer qu'on va bien plus à son aise quand on tourne sur son axe que quand on marche sur ses pieds. Les voilà donc revenus d'où ils étaient partis, après avoir vu cette mare, presque imperceptible pour eux, qu'on nomme *la Méditerranée,* et cet 25 autre petit étang qui, sous le nom du *grand Océan,* entoure la taupinière. Le nain n'en avait eu jamais qu'à mi-jambe, et à peine l'autre avait-il mouillé son talon. Ils firent tout ce qu'ils purent en allant et en revenant dessus et dessous pour tâcher d'apercevoir si ce globe était habité ou non. Ils se baissèrent, ils se couchèrent, ils tâtèrent partout; mais leurs yeux et leurs mains n'étant point proportionnés aux petits êtres qui rampent ici, ils ne reçurent pas la moindre sensation qui pût leur faire soupçonner que nous et nos confrères les autres habitants de ce globe avons l'honneur d'exister.

Le nain, qui jugeait quelquefois un peu trop vite, décida d'abord qu'il n'y avait personne sur la Terre. Sa première raison était qu'il n'avait vu personne. Micromégas lui fit sentir poliment que c'était raisonner assez mal: Car, disait-il, vous ne voyez pas avec vos petits yeux certaines étoiles de la cinquantième grandeur que j'aperçois très distinctement; concluez-vous de là que ces étoiles n'existent pas? — Mais, dit le nain, j'ai bien tâté. — Mais, répondit l'autre, vous avez mal senti. — Mais, dit le nain, ce globe-ci est si mal construit, cela est si irrégulier et d'une forme qui me paraît si ridicule! tout semble être ici dans le chaos: voyez-vous ces petits ruisseaux dont aucun ne va de droit fil, ces étangs qui ne sont ni ronds, ni carrés, ni ovales, ni sous aucune forme régulière; tous ces petits grains pointus dont ce globe est hérissé, et qui m'ont écorché les pieds? (Il voulait parler des montagnes.) Remarquez-vous encore la forme de tout le globe, comme il est plat aux pôles, comme il tourne autour du Soleil d'une manière gauche, de façon que les climats des pôles sont nécessairement incultes? En vérité, ce qui fait que je pense qu'il n'y a ici personne, c'est qu'il me paraît que des gens de bon sens ne voudraient pas y demeurer. — Eh bien ! dit Micromégas, ce ne sont peut-être pas non plus des gens de bon sens qui l'habitent. Mais enfin il y a quelque apparence que ceci n'est pas fait pour rien. Tout vous paraît irrégulier ici, 5 dites-vous, parce que tout est tiré au cordeau dans Saturne et dans Jupiter. Eh ! c'est peut-être pour cette raison-là même qu'il y a ici un peu de confusion. Ne vous ai-je pas dit que dans mes voyages j'avais toujours remarqué de la variété ? Le Saturnien répliqua 10 à toutes ces raisons. La dispute n'eût jamais fini, si par bonheur Micromégas, en s'échauffant à parler, n'eût cassé le fil de son collier de diamants. Les diamants tombèrent ; c'étaient de jolis petits carats assez inégaux, dont les plus gros pesaient quatre cents livres, et les 15 plus petits cinquante. Le nain en ramassa quelques-uns ; il s'aperçut, en les approchant de ses yeux, que ces diamants, de la façon dont ils étaient taillés, étaient d'excellents microscopes. Il prit donc un petit microscope de cent soixante pieds de diamètre, qu'il appliqua 20 à sa prunelle ; et Micromégas en choisit un de deux mille cinq cents pieds. Ils étaient excellents ; mais d'abord on ne vit rien par leur secours, il fallait s'ajuster. Enfin l'habitant de Saturne vit quelque chose d'imperceptible qui remuait entre deux eaux dans la 25 mer Baltique : c'était une baleine. Il la prit avec le petit doigt fort adroitement ; et, la mettant sur l'ongle de son pouce, il la fit voir au Sirien, qui se mit à rire pour la seconde fois de l'excès de petitesse dont étaient les habitants de notre globe. Le Saturnien, convaincu 30 que notre monde est habité, s'imagina bien vite qu'il ne l'était que par des baleines, et comme il était grand raisonneur, il voulut deviner d'où un si petit atome tirait son mouvement, s'il avait des idées, une volonté, une liberté. Micromégas y fut fort embarrassé; il examina l'animal fort patiemment, et le résultat de 5 l'examen fut qu'il n'y avait pas moyen de croire qu'une âme fût logée là. Les deux voyageurs inclinaient donc à penser qu'il n'y a point d'esprit dans notre habitation, lorsqu'à l'aide du microscope ils aperçurent quelque chose d'aussi gros qu'une baleine qui flottait sur 10 la mer Baltique. On sait que dans ce temps-là même une volée de philosophes revenait du cercle polaire, sous lequel ils avaient été faire des observations dont personne ne s'était avisé jusqu'alors.[1] Les gazettes dirent que leur vaisseau échoua aux côtes de Bothnie, 15 et qu'ils eurent bien de la peine à se sauver: mais on ne sait jamais dans ce monde le dessous des cartes.[2] Je vais raconter ingénument comme la chose se passa, sans y rien mettre du mien; ce qui n'est pas un petit effort pour un historien.

CHAPITRE V

EXPÉRIENCES ET RAISONNEMENTS DES DEUX VOYAGEURS

20 MICROMÉGAS étendit la main tout doucement vers l'endroit où l'objet paraissait, et avançant deux doigts, et les retirant par la crainte de se tromper, puis les ouvrant et les serrant, il saisit fort adroitement le vaisseau qui portait ces messieurs, et le mit encore sur 25 son ongle, sans le trop presser, de peur de l'écraser. — Voici un animal bien différent du premier, dit le nain de Saturne; le Sirien mit le prétendu animal dans le

creux de sa main. Les passagers et les gens de l'équipage, qui s'étaient crus enlevés par un ouragan, et qui se croyaient sur une espèce de rocher, se mettent tous en mouvement ; les matelots prennent des tonneaux de vin, les jettent sur la main de Micromégas, et se 5 précipitent après. Les géomètres prennent leurs quarts de cercle, leurs secteurs, deux filles laponnes,[1] et descendent sur les doigts du Sirien. Ils en firent tant, qu'il sentit enfin remuer quelque chose qui lui chatouillait les doigts ; c'était un bâton ferré qu'on lui enfon- 10 çait d'un pied dans l'index : il jugea, par ce picotement, qu'il était sorti quelque chose du petit animal qu'il tenait ; mais il n'en soupçonna pas d'abord davantage. Le microscope, qui faisait à peine discerner une baleine et un vaisseau, n'avait point de prise sur un être aussi 15 imperceptible que des hommes. Je ne prétends choquer ici la vanité de personne, mais je suis obligé de prier les importants[2] de faire ici une petite remarque avec moi ; c'est qu'en prenant la taille des hommes d'environ cinq pieds, nous ne faisons pas sur la Terre une plus 20 grande figure qu'en ferait sur une boule de dix pieds de tour un animal qui aurait à peu près la six centmillième partie d'un pouce en hauteur. Figurez-vous une substance qui pourrait tenir la Terre dans sa main, et qui aurait des organes en proportion des nôtres ; et 25 il se peut très bien faire qu'il y ait un grand nombre de ces substances : or concevez, je vous prie, ce qu'elles penseraient de ces batailles qui font gagner au vainqueur un village pour le perdre ensuite.

Je ne doute pas que si quelque capitaine des grands 30 grenadiers lit jamais cet ouvrage, il ne hausse de deux grands pieds au moins les bonnets de sa troupe ; mais je l'avertis qu'il aura beau faire, que lui et les siens ne seront jamais que des infiniment petits.

Quelle adresse merveilleuse ne fallut-il donc pas à notre philosophe de Sirius, pour apercevoir les atomes 5 dont je viens de parler? Quand Leuwenhoek et Hartsoeker[1] virent les premiers ou crurent voir la graine dont nous sommes formés, ils ne firent pas, à beaucoup près, une si étonnante découverte. Quel plaisir sentit Micromégas en voyant remuer ces petites machi- 10 nes, en examinant tous leurs tours, en les suivant dans toutes leurs opérations! comme il s'écria! comme il mit avec joie un de ses microscopes dans les mains de son compagnon de voyage! — Je les vois, disaient-ils tous deux à la fois; ne les voyez-vous pas qui portent 15 des fardeaux, qui se baissent, qui se relèvent. En parlant ainsi, les mains leur tremblaient, par le plaisir de voir des objets si nouveaux, et par la crainte de les perdre.

CHAPITRE VI

CE QUI LEUR ARRIVA AVEC LES HOMMES

Micromégas, bien meilleur observateur que son nain, 20 vit clairement que les atomes se parlaient; et il le fit remarquer à son compagnon: — Je n'ose plus ni croire ni nier, dit le nain; je n'ai plus d'opinion; il faut tâcher d'examiner ces insectes, nous raisonnerons après. — C'est fort bien dit, reprit Micromégas; et aussitôt 25 il tira une paire de ciseaux dont il se coupa les ongles, et d'une rognure de l'ongle de son pouce il fit sur-le-champ une espèce de grande trompette parlante, comme un vaste entonnoir, dont il mit le tuyau dans son oreille. La circonférence de l'entonnoir enveloppait le vaisseau et tout l'équipage. La voix la plus faible entrait dans les fibres circulaires de l'ongle ; de sorte que, grâce à son industrie, le philosophe de là-haut entendit par- 5 faitement le bourdonnement de nos insectes de là-bas. En peu d'heures il parvint à distinguer les paroles, et enfin à entendre le français. Le nain en fit autant, quoique avec plus de difficulté. L'étonnement des voyageurs redoublait à chaque instant. Ils entendaient 10 des mites parler d'assez bon sens : ce jeu de la nature leur paraissait inexplicable. Vous croyez bien que le Sirien et son nain brûlaient d'impatience de lier conversation avec les atomes ; le nain craignait que sa voix de tonnerre, et surtout celle de Micromégas, n'as- 15 sourdît les mites sans en être entendue. Il fallait en diminuer la force. Ils se mirent dans la bouche des espèces de petits cure-dents, dont le bout fort effilé venait donner auprès du vaisseau. Le Sirien tenait le nain sur ses genoux, et le vaisseau avec l'équipage sur 20 son ongle ; il baissait la tête et parlait bas. Enfin, moyennant toutes ces précautions et bien d'autres encore, il commença ainsi son discours :

Insectes invisibles, que la main du Créateur s'est plu à faire naître dans l'abîme de l'infiniment petit, je le 25 remercie de ce qu'il a daigné me découvrir des secrets qui semblaient impénétrables. Peut-être ne daignerait-on pas vous regarder à ma cour ; mais je ne méprise personne, et je vous offre ma protection.

Si jamais il y eut quelqu'un d'étonné, ce furent les 30 gens qui entendirent ces paroles. Ils ne pouvaient deviner d'où elles partaient. L'aumônier du vaisseau récita

les prières des exorcismes, les matelots jurèrent, et les philosophes du vaisseau firent des systèmes ; mais quelque système qu'ils fissent, ils ne purent jamais deviner qui leur parlait. Le nain de Saturne, qui avait la voix
5 plus douce que Micromégas, leur apprit alors en peu de mots à quelles espèces ils avaient affaire. Il leur conta le voyage de Saturne, les mit au fait de ce qu'était M. Micromégas ; et après les avoir plaints d'être si petits, il leur demanda s'ils avaient toujours été dans
10 ce misérable état si voisin de l'anéantissement, ce qu'ils faisaient dans un globe qui paraissait appartenir à des baleines, s'ils étaient heureux, s'ils multipliaient, s'ils avaient une âme, et cent autres questions de cette nature.

Un raisonneur de la troupe, plus hardi que les autres,
15 et choqué de ce qu'on doutait de son âme, observa l'interlocuteur avec des pinnules braquées sur un quart de cercle, fit deux stations, et à la troisième il parla ainsi : Vous croyez donc, monsieur, parce que vous avez mille toises depuis la tête jusqu'aux pieds, que vous
20 êtes un... — Mille toises ! s'écria le nain : juste ciel ! d'où peut-il savoir ma hauteur ? mille toises ! il ne se trompe pas d'un pouce. Quoi ! cet atome m'a mesuré ! il est géomètre, il connaît ma grandeur ; et moi, qui ne le vois qu'à travers un microscope, je ne connais pas
25 encore la sienne ! — Oui, je vous ai mesuré, dit le physicien, et je mesurerai bien encore votre grand compagnon. La proposition fut acceptée ; Son Excellence se coucha de son long ; car, s'il se fût tenu debout, sa tête eût été trop au-dessus des nuages. Puis, par une
30 suite de triangles liés ensemble, nos philosophes conclurent que ce qu'ils voyaient était en effet un jeune homme de cent vingt mille pieds de roi.

Alors Micromégas prononça ces paroles : Je vois plus que jamais qu'il ne faut juger de rien sur sa grandeur apparente. O Dieu ! qui avez donné une intelligence à des substances qui paraissent si méprisables, l'infiniment petit vous coûte aussi peu que l'infiniment grand ; 5 et s'il est possible qu'il y ait des êtres plus petits que ceux-ci, ils peuvent encore avoir un esprit supérieur à ceux de ces superbes animaux que j'ai vus dans le ciel, dont le pied seul couvrirait le globe où je suis descendu. 10

Un des philosophes lui répondit qu'il pouvait en toute sûreté croire qu'il est en effet des êtres intelligents beaucoup plus petits que l'homme. Il lui conta, non pas tout ce que Virgile a dit de fabuleux sur les abeilles, mais ce que Swammerdam[1] a découvert, et ce que 15 Réaumur[2] a disséqué. Il lui apprit enfin qu'il y a des animaux qui sont pour les abeilles ce que les abeilles sont pour l'homme, ce que le Sirien lui-même était pour ces animaux si vastes dont il parlait, et ce que ces grands animaux sont pour d'autres substances devant 20 lesquelles ils ne paraissent que comme des atomes. Peu à peu la conversation devint intéressante, et Micromégas parla ainsi :

CHAPITRE VII

CONVERSATION AVEC LES HOMMES

— O ATOMES intelligents, dans qui l'Être éternel s'est plu à manifester son adresse et sa puissance, vous 25 devez, sans doute, goûter des joies bien pures sur votre globe ; car ayant si peu de matière, et paraissant tout esprit, vous devez passer votre vie à aimer et à penser; c'est la véritable vie des esprits. Je n'ai vu nulle part le vrai bonheur, mais il est ici, sans doute. A ce discours, tous les philosophes secouèrent la tête; et l'un d'eux, plus franc que les autres, avoua de bonne foi que, si l'on en excepte un petit nombre d'habitants fort peu considérés, tout le reste est un assemblage de fous, de méchants et de malheureux. — Nous avons plus de matière qu'il ne nous en faut, dit-il, pour faire beaucoup de mal, si le mal vient de la matière; et trop d'esprit, si le mal vient de l'esprit. Savez-vous bien, par exemple, qu'à l'heure que je vous parle,[1] il y a cent mille fous de notre espèce, couverts de chapeaux, qui tuent cent mille autres animaux couverts d'un turban, ou qui sont massacrés par eux, et que, presque par toute la terre, c'est ainsi qu'on en use de temps immémorial? Le Sirien frémit, et demanda quel pouvait être le sujet de ces horribles querelles entre de si chétifs animaux. — Il s'agit, dit le philosophe, de quelques tas de boue grands comme votre talon. Ce n'est pas qu'aucun de ces millions d'hommes qui se font égorger prétende un fétu sur ce tas de boue. Il ne s'agit que de savoir s'il appartiendra à un certain homme qu'on nomme *Sultan*, ou à un autre qu'on nomme, je ne sais pourquoi, *César*. Ni l'un ni l'autre n'a jamais vu ni ne verra jamais le petit coin de terre dont il s'agit; et presque aucun de ces animaux, qui s'égorgent mutuellement, n'a jamais vu l'animal pour lequel il s'égorge.

— Ah! malheureux! s'écria le Sirien avec indignation, peut-on concevoir cet excès de rage forcenée! Il me prend envie de faire trois pas, et d'écraser de trois coups de pied toute cette fourmilière d'assassins ridicules. — Ne vous en donnez pas la peine, lui répondit-on ; ils travaillent assez à leur ruine. Sachez qu'au bout de dix ans, il ne reste jamais la centième partie de ces misérables ; sachez que, quand même ils n'auraient pas tiré l'épée, la faim, la fatigue, ou l'intempérance les emportent presque tous. D'ailleurs, ce n'est pas eux qu'il faut punir, ce sont ces barbares sédentaires qui du fond de leur cabinet ordonnent, dans le temps de leur digestion, le massacre d'un million d'hommes, et qui ensuite en font remercier Dieu solennellement. Le voyageur se sentait ému de pitié pour la petite race humaine, dans laquelle il découvrait de si étonnants contrastes. — Puisque vous êtes du petit nombre des sages, dit-il à ces messieurs, et qu'apparemment vous ne tuez personne pour de l'argent, dites-moi, je vous prie, à quoi vous vous occupez. — Nous disséquons les mouches, dit le philosophe, nous mesurons des lignes, nous assemblons des nombres ; nous sommes d'accord sur deux ou trois points que nous entendons, et nous disputons sur deux ou trois mille que nous n'entendons pas. Il prit aussitôt fantaisie au Sirien et au Saturnien d'interroger ces atomes pensants, pour savoir les choses dont ils convenaient. — Combien comptez-vous, dit celui-ci, de l'étoile de la Canicule à la grande étoile des Gémeaux ? Ils répondirent tous à la fois : Trente-deux degrés et demi. — Combien comptez-vous d'ici à la Lune ? — Soixante demi-diamètres de la terre en nombre rond. — Combien pèse votre air ? Il croyait les attraper, mais tous lui dirent que l'air pèse environ neuf cents fois moins qu'un pareil volume de l'eau la plus légère, et dix-neuf mille fois moins que l'or de ducat. Le petit nain de Saturne, étonné de leurs réponses, fut tenté de prendre pour des sorciers ces mêmes gens auxquels il avait refusé une âme un quart d'heure auparavant.

Enfin Micromégas leur dit: Puisque vous savez si 5 bien ce qui est hors de vous, sans doute vous savez encore mieux ce qui est en dedans. Dites-moi ce que c'est que votre âme, et comment vous formez vos idées. Les philosophes parlèrent tous à la fois comme auparavant; mais ils furent tous de différents avis. Le plus 10 vieux citait Aristote, l'autre prononçait le nom de Descartes;[1] celui-ci, de Malebranche;[2] cet autre, de Leibnitz;[3] cet autre, de Locke;[4] un vieux péripatéticien dit tout haut avec confiance: L'âme est une entéléchie,[5] et une raison par qui elle a la puissance d'être ce qu'elle 15 est. C'est ce que déclare expressément Aristote, page 633 de l'édition du Louvre. Il cita le passage.

Je n'entends pas trop bien le grec, dit le géant. — Ni moi non plus, dit la mite philosophique. — Pourquoi donc, reprit le Sirien, citez-vous un certain Aristote en 20 grec? — C'est, répliqua le savant, qu'il faut bien citer ce qu'on ne comprend point du tout dans la langue qu'on entend le moins.

Le cartésien prit la parole, et dit: L'âme est un esprit pur qui a reçu dans le ventre de sa mère toutes 25 les idées métaphysiques, et qui, en sortant de là, est obligé d'aller à l'école, et d'apprendre tout de nouveau ce qu'elle a si bien su, et qu'elle ne saura plus. — Ce n'était donc pas la peine, répondit l'animal de huit lieues, que ton âme fût si savante dans le ventre de 30 ta mère, pour être si ignorante quand tu aurais de la barbe au menton. Mais qu'entends-tu par esprit? — Que me demandez-vous là? dit le raisonneur, je n'en ai point d'idée; on dit que ce n'est pas la matière. — Mais sais-tu au moins ce que c'est que la matière? — Très bien, répondit l'homme. Par exemple cette pierre est grise et d'une telle forme; elle a ses trois dimensions, elle est pesante et divisible. — Eh bien! dit le Sirien, cette chose qui te paraît être divisible, pesante, et grise, me diras-tu bien ce que c'est? Tu vois quelques attributs; mais le fond de la chose, le connais-tu? — Non, dit l'autre. — Tu ne sais donc point ce que c'est que la matière.

Alors M. Micromégas, adressant la parole à un autre sage qu'il tenait sur son pouce, lui demanda ce que c'était que son âme, et ce qu'elle faisait. — Rien du tout, répondit le philosophe malebranchiste; c'est Dieu qui fait tout pour moi; je vois tout en lui; je fais tout en lui; c'est lui qui fait tout sans que je m'en mêle. — Autant vaudrait ne pas être, reprit le sage de Sirius. Et toi, mon ami, dit-il à un leibnitzien qui était là, qu'est-ce que ton âme? — C'est, répondit le leibnitzien, une aiguille qui montre les heures pendant que mon corps carillonne; ou bien, si vous voulez, c'est elle qui carillonne pendant que mon corps montre l'heure; ou bien mon âme est le miroir de l'univers, et mon corps est la bordure du miroir: tout cela est clair.

Un petit partisan de Locke était là tout auprès, et quand on lui eut enfin adressé la parole: Je ne sais pas, dit-il, comment je pense, mais je sais que je n'ai jamais pensé qu'à l'occasion de mes sens. Qu'il y ait des substances immatérielles et intelligentes, c'est de quoi je ne doute pas: mais qu'il soit impossible à Dieu de communiquer la pensée à la matière, c'est de quoi je doute fort. Je révère la puissance éternelle;

il ne m'appartient pas de la borner : je n'affirme rien ; je me contente de croire qu'il y a plus de choses possibles qu'on ne pense.

L'animal de Sirius sourit : il ne trouva pas celui-là
5 le moins sage ; et le nain de Saturne aurait embrassé le sectateur de Locke sans l'extrême disproportion. Mais il y avait là, par malheur, un petit animalcule en bonnet carré qui occupa la parole à tous les animalcules philosophes ; il dit qu'il savait tout le secret ; que cela
10 se trouvait dans la *Somme de saint Thomas* ;[1] il regarda de haut en bas les deux habitants célestes, il leur soutint que leurs personnes, leurs mondes, leurs soleils, leurs étoiles, tout était fait uniquement pour l'homme. A ce discours, nos deux voyageurs se laissèrent aller
15 l'un sur l'autre en étouffant de ce rire inextinguible qui, selon Homère,[2] est le partage des dieux ; leurs épaules et leurs ventres allaient et venaient, et dans ces convulsions le vaisseau que le Sirien avait sur son ongle tomba dans une poche de la culotte du Saturnien. Ces
20 deux bonnes gens le cherchèrent longtemps ; enfin ils retrouvèrent l'équipage, et le rajustèrent fort proprement. Le Sirien reprit les petites mites ; il leur parla encore avec beaucoup de bonté, quoiqu'il fût un peu fâché dans le fond du cœur de voir que les infiniment
25 petits eussent un orgueil infiniment grand. Il leur promit de leur faire un beau livre de philosophie, écrit fort menu pour leur usage, et que, dans ce livre, ils verraient le bout des choses. Effectivement, il leur donna ce volume avant son départ : on le porta à Paris à
30 l'Académie des sciences ; mais, quand le secrétaire l'eut ouvert, il ne vit rien qu'un livre tout blanc : « Ah ! dit-il, je m'en étais bien douté. »

JEANNOT ET COLIN [1]

(1764)

Plusieurs personnes dignes de foi ont vu Jeannot et Colin à l'école dans la ville d'Issoire, en Auvergne, ville fameuse dans tout l'univers par son collège et par ses chaudrons. Jeannot était fils d'un marchand de mulets très renommé; Colin devait le jour à un brave 5
laboureur des environs, qui cultivait la terre avec quatre mulets, et qui, après avoir payé la taille, le taillon, les aides et gabelles, le sou pour livre, la capitation, et les vingtièmes,[2] ne se trouvait pas puissamment riche au bout de l'année. 10

Jeannot et Colin étaient fort jolis pour des Auvergnats; ils s'aimaient beaucoup; et ils avaient ensemble de petites familiarités, dont on se ressouvient toujours avec agrément quand on se rencontre ensuite dans le monde. 15

Le temps de leurs études était sur le point de finir, quand un tailleur apporta à Jeannot un habit de velours à trois couleurs, avec une veste de Lyon de fort bon goût; le tout était accompagné d'une lettre à M. de la Jeannotière. Colin admira l'habit, et ne fut point 20
jaloux; mais Jeannot prit un air de supériorité qui affligea Colin. Dès ce moment Jeannot n'étudia plus, se regarda au miroir, et méprisa tout le monde. Quelque temps après un valet de chambre arrive en poste, et

apporte une seconde lettre à monsieur le marquis de la Jeannotière; c'était un ordre de monsieur son père de faire venir monsieur son fils à Paris. Jeannot monta en chaise en tendant la main à Colin avec un sourire de protection assez noble. Colin sentit son néant, et pleura. Jeannot partit dans toute la pompe de sa gloire.

Les lecteurs qui aiment à s'instruire doivent savoir que M. Jeannot le père avait acquis assez rapidement des biens immenses dans les affaires. Vous demandez comment on fait ces grandes fortunes? C'est parce qu'on est heureux. M. Jeannot était bien fait, sa femme aussi, et elle avait encore de la fraîcheur. Ils allèrent à Paris pour un procès qui les ruinait, lorsque la fortune, qui élève et qui abaisse les hommes à son gré, les présenta à la femme d'un entrepreneur des hôpitaux des armées, homme d'un grand talent, et qui pouvait se vanter d'avoir tué plus de soldats en un an que le canon n'en fait périr en dix. Jeannot plut à madame; la femme de Jeannot plut à monsieur. Jeannot fut bientôt de part dans l'entreprise; il entra dans d'autres affaires. Dès qu'on est dans le fil de l'eau, il n'y a qu'à se laisser aller; on fait sans peine une fortune immense. Les gredins, qui du rivage vous regardent voguer à pleines voiles, ouvrent des yeux étonnés; ils ne savent comment vous avez pu parvenir; ils vous envient au hasard, et font contre vous des brochures que vous ne lisez point. C'est ce qui arriva à Jeannot le père, qui fut bientôt M. de la Jeannotière, et qui, ayant acheté un marquisat au bout de six mois, retira de l'école monsieur le marquis son fils, pour le mettre à Paris dans le beau monde.

Colin, toujours tendre, écrivit une lettre de compliments à son ancien camarade, et lui fit ces lignes pour le congratuler. Le petit marquis ne lui fit point de réponse: Colin en fut malade de douleur.

Le père et la mère donnèrent d'abord un gouverneur au jeune marquis: ce gouverneur, qui était un homme 5 du bel air,[1] et qui ne savait rien, ne put rien enseigner à son pupille. Monsieur voulait que son fils apprît le latin, madame ne le voulait pas. Ils prirent pour arbitre un auteur qui était célèbre alors par des ouvrages agréables. Il fut prié à dîner. Le maître de la maison 10 commença par lui dire: Monsieur, comme vous connaissez le latin, et que vous êtes un homme de la cour . . . Moi, monsieur, du latin ! je n'en sais pas un mot, répondit le bel esprit, et bien m'en a pris : il est clair qu'on parle beaucoup mieux sa langue quand on ne 15 partage pas son application entre elle et les langues étrangères. Voyez toutes nos dames, elles ont l'esprit plus agréable que les hommes; leurs lettres sont écrites avec cent fois plus de grâce; elles n'ont sur nous cette supériorité que parce qu'elles ne savent pas le latin. 20

— Eh bien! n'avais-je pas raison? dit madame. Je veux que mon fils soit un homme d'esprit, qu'il réussisse dans le monde; et vous voyez bien que, s'il savait le latin, il serait perdu. Joue-t-on, s'il vous plaît, la comédie et l'opéra en latin? plaide-t-on en latin, quand 25 on a un procès? fait-on l'amour en latin? Monsieur, ébloui de ces raisons, passa condamnation, et il fut conclu que le jeune marquis ne perdrait point son temps à connaître Cicéron, Horace, et Virgile. Mais qu'apprendra-t-il donc? car encore il faut qu'il sache quelque 30 chose; ne pourrait-on pas lui montrer un peu de géographie? A quoi cela lui servira-t-il? répondit le gou-

verneur. Quand monsieur le marquis ira dans ses terres, les postillons ne sauront-ils pas les chemins? ils ne l'égareront certainement pas. On n'a pas besoin d'un quart de cercle pour voyager, et on va très com-
5 modément de Paris en Auvergne, sans qu'il soit besoin de savoir sous quelle latitude on se trouve.

— Vous avez raison, répliqua le père; mais j'ai entendu parler d'une belle science qu'on appelle, je crois, *l'astronomie*. — Quelle pitié, repartit le gouverneur; se
10 conduit-on par les astres dans ce monde? et faudra-t-il que monsieur le marquis se tue à calculer une éclipse, quand il la trouve à point nommé dans l'almanach, qui lui enseigne de plus les fêtes mobiles,[1] l'âge de la lune, et celui de toutes les princesses de l'Europe.

15 Madame fut entièrement de l'avis du gouverneur. Le petit marquis était au comble de la joie; le père était indécis. Que faudra-t-il donc apprendre à mon fils? disait-il. — A être aimable, répondit l'ami que l'on consultait; et s'il sait les moyens de plaire, il saura
20 tout: c'est un art qu'il apprendra chez madame sa mère, sans que ni l'un ni l'autre se donnent la moindre peine.

Madame, à ce discours, embrassa le gracieux ignorant, et lui dit: On voit bien, monsieur, que vous êtes
25 l'homme du monde le plus savant; mon fils vous devra toute son éducation: je m'imagine pourtant qu'il ne serait pas mal qu'il sût un peu d'histoire. — Hélas! madame, à quoi cela est-il bon? répondit-il; il n'y a certainement d'agréable et d'utile que l'histoire du jour.
30 Toutes les histoires anciennes, comme le disait un de nos beaux esprits,[2] ne sont que des fables convenues; et pour les modernes, c'est un chaos qu'on ne peut

débrouiller. Qu'importe à monsieur votre fils que Charlemagne ait institué les douze pairs de France, et que son successeur ait été bègue?[1]

Rien n'est mieux dit, s'écria le gouverneur: on étouffe l'esprit des enfants sous un amas de connais- 5 sances inutiles; mais de toutes les sciences la plus absurde, à mon avis, et celle qui est la plus capable d'étouffer toute espèce de génie, c'est la géométrie. Cette science ridicule a pour objet des surfaces, des lignes, et des points, qui n'existent pas dans la nature. 10 On fait passer en esprit cent mille lignes courbes entre un cercle et une ligne droite qui le touche, quoique dans la réalité on n'y puisse pas passer un fétu. La géométrie, en vérité, n'est qu'une mauvaise plaisanterie. 15

Monsieur et madame n'entendaient pas trop ce que le gouverneur voulait dire; mais ils furent entièrement de son avis.

Un seigneur comme monsieur le marquis, continua-t-il, ne doit pas se dessécher le cerveau dans ces vaines 20 études. Si un jour il a besoin d'un géomètre sublime, pour lever le plan de ses terres, il les fera arpenter pour son argent. S'il veut débrouiller l'antiquité de sa noblesse, qui remonte aux temps les plus reculés, il enverra chercher un bénédictin. Il en est de même 25 de tous les arts. Un jeune seigneur heureusement né n'est ni peintre, ni musicien, ni architecte, ni sculpteur; mais il fait fleurir tous ces arts en les encourageant par sa magnificence. Il vaut sans doute mieux les protéger que de les exercer; il suffit que monsieur le marquis ait 30 du goût; c'est aux artistes à travailler pour lui; et c'est en quoi on a très grande raison de dire que les gens de qualité (j'entends ceux qui sont très riches) savent tout sans avoir rien appris, parce qu'en effet ils savent à la longue juger de toutes les choses qu'ils commandent et qu'ils payent.

5 L'aimable ignorant prit alors la parole, et dit: Vous avez très bien remarqué, madame, que la grande fin de l'homme est de réussir dans la société. De bonne foi, est-ce par les sciences qu'on obtient ce succès? S'est-on jamais avisé dans la bonne compagnie de par-
10 ler de géométrie? Demande-t-on jamais à un honnête homme quel astre se lève aujourd'hui avec le soleil? S'informe-t-on à souper si Clodion le Chevelu[1] passa le Rhin? — Non, sans doute, s'écria la marquise de la Jeannotière, que ses charmes avaient initiée quelque-
15 fois dans le beau monde, et monsieur mon fils ne doit point éteindre son génie par l'étude de tous ces fatras; mais enfin que lui apprendra-t-on? car il est bon qu'un jeune seigneur puisse briller dans l'occasion, comme dit monsieur mon mari. Je me souviens d'avoir ouï dire
20 à un abbé que la plus agréable des sciences était une chose dont j'ai oublié le nom, mais qui commence par un *B*. — Par un *B*, madame, ne serait-ce point la botanique? — Non, ce n'était point de botanique qu'il me parlait; elle commençait, vous dis-je, par un *B*, et finis-
25 sait par un *on*. — Ah! j'entends, madame, c'est le blason: c'est, à la vérité, une science fort profonde, mais elle n'est plus à la mode depuis qu'on a perdu l'habitude de faire peindre ses armes aux portières de son carrosse; c'était la chose du monde la plus utile dans un
30 état bien policé. D'ailleurs cette étude serait infinie; il n'y a point aujourd'hui de barbier qui n'ait ses armoiries; et vous savez que tout ce qui devient commun

est peu fêté. Enfin, après avoir examiné le fort et le faible des sciences, il fut décidé que monsieur le marquis apprendrait à danser.

La nature, qui fait tout, lui avait donné un talent qui se développa bientôt avec un succès prodigieux, c'était de chanter agréablement des vaudevilles.[1] Les grâces de la jeunesse, jointes à ce don supérieur, le firent regarder comme le jeune homme de la plus grande espérance. Il fut aimé des femmes; et ayant la tête toute pleine de chansons, il en fit pour ses maîtresses. Il pillait *Bacchus et l'Amour* dans un vaudeville, *la nuit et le jour* dans un autre, *les charmes et les alarmes* dans un troisième; mais, comme il y avait toujours dans ses vers quelques pieds de plus ou de moins qu'il ne fallait, il les faisait corriger moyennant vingt louis d'or par chanson; et il fut mis dans *l'Année littéraire*[2] au rang des La Fare, des Chaulieu, des Hamilton, des Sarrasin, des Voiture.[3]

Madame la Marquise crut alors être la mère d'un bel esprit et donna à souper aux beaux esprits de Paris. La tête du jeune homme fut bientôt renversée; il acquit l'art de parler sans s'entendre, et se perfectionna dans l'habitude de n'être propre à rien. Quand son père le vit éloquent, il regretta vivement de ne lui avoir pas fait apprendre le latin, car il lui aurait acheté une grande charge dans la robe. La mère, qui avait des sentiments plus nobles, se chargea de solliciter un régiment pour son fils; et en attendant il dépensa beaucoup, pendant que ses parents s'épuisaient encore davantage à vivre en grands seigneurs.

Une jeune veuve de qualité, leur voisine, qui n'avait qu'une fortune médiocre, voulut bien se résoudre à mettre en sûreté les grands biens de monsieur et madame de la Jeannotière, en se les appropriant, et en épousant le jeune marquis. Elle l'attira chez elle, se laissa aimer, lui fit entrevoir qu'il ne lui était pas indifférent, le conduisit par degrés, l'enchanta, le subjugua sans peine. Elle lui donnait tantôt des éloges, tantôt des conseils; elle devint la meilleure amie du père et de la mère. Une vieille voisine proposa le mariage; les parents, éblouis de la splendeur de cette alliance, acceptèrent avec joie la proposition: ils donnèrent leur fils unique à leur amie intime. Le jeune marquis allait épouser une femme qu'il adorait et dont il était aimé; les amis de la maison le félicitaient; on allait rédiger les articles, en travaillant aux habits de noce et à l'épithalame.

Il était un matin aux genoux[1] de la charmante épouse que l'amour, l'estime et l'amitié allaient lui donner; ils goûtaient, dans une conversation tendre et animée, les prémices de leur bonheur; ils s'arrangeaient pour mener une vie délicieuse, lorsqu'un valet de chambre de madame la mère arrive tout effaré. Voici bien d'autres nouvelles, dit-il; des huissiers déménagent la maison de monsieur et de madame; tout est saisi par des créanciers; on parle de prise de corps, et je vais faire mes diligences pour être payé de mes gages. — Voyons un peu, dit le marquis, ce que c'est que ça, ce que c'est que cette aventure-là. — Oui, dit la veuve, allez punir ces coquins-là, allez vite. Il y court, il arrive à la maison; son père était déjà emprisonné: tous les domestiques avaient fui chacun de leur côté, en emportant tout ce qu'ils avaient pu. Sa mère était seule, sans secours, sans consolation, noyée dans les larmes; il ne lui restait rien que le souvenir de sa fortune, de sa beauté, de ses fautes, et de ses folles dépenses.

Après que le fils eut longtemps pleuré avec la mère, il lui dit enfin: Ne nous désespérons pas; cette jeune veuve m'aime éperdument; elle est plus généreuse encore que riche, je réponds d'elle; je vole à elle, et je vais vous l'amener. Il retourne donc chez sa maîtresse, il la trouve tête à tête avec un jeune officier fort aimable. Quoi! c'est vous, M. de la Jeannotière; que venez-vous faire ici? abandonne-t-on ainsi sa mère? Allez chez cette pauvre femme, et dites-lui que je lui veux toujours du bien: j'ai besoin d'une femme de chambre, et je lui donnerai la préférence. — Mon garçon, tu me parais assez bien tourné, lui dit l'officier; si tu veux entrer dans ma compagnie, je te donnerai un bon engagement.

Le marquis stupéfait, la rage dans le cœur, alla chercher son ancien gouverneur, déposa ses douleurs dans son sein, et lui demanda des conseils. Celui-ci lui proposa de se faire, comme lui, gouverneur d'enfants. Hélas! je ne sais rien, vous ne m'avez rien appris, et vous êtes la première cause de mon malheur; et il sanglotait en lui parlant ainsi. Faites des romans, lui dit un bel esprit qui était là; c'est une excellente ressource à Paris.

Le jeune homme, plus désespéré que jamais, courut chez le confesseur de sa mère; c'était un théatin[1] très accrédité, qui ne dirigeait que les femmes de la première considération; dès qu'il le vit, il se précipita vers lui. Eh! mon Dieu! monsieur le marquis, où est votre carrosse? comment se porte la respectable

madame la marquise votre mère? Le pauvre malheureux lui conta le désastre de sa famille. A mesure qu'il s'expliquait, le théatin prenait une mine plus grave, plus indifférente, plus imposante: Mon
5 fils, voilà où Dieu vous voulait; les richesses ne servent qu'à corrompre le cœur; Dieu a donc fait la grâce à votre mère de la réduire à la mendicité?

— Oui, monsieur. — Tant mieux, elle est sûre de son salut. — Mais, mon père, en attendant, n'y aurait-il
10 pas moyen d'obtenir quelques secours dans ce monde? — Adieu, mon fils; il y a une dame de la cour qui m'attend.

Le marquis fut prêt à s'évanouir; il fut traité à peu près de même par tous ses amis, et apprit mieux à con-
15 naître le monde dans une demi-journée que dans tout le reste de sa vie.

Comme il était plongé dans l'accablement du désespoir, il vit avancer une chaise roulante, à l'antique, espèce de tombereau couvert, accompagné de rideaux de
20 cuir, suivi de quatre charrettes énormes toutes chargées. Il y avait dans la chaise un jeune homme grossièrement vêtu; c'était un visage rond et frais qui respirait la douceur et la gaieté. Sa petite femme brune, et assez grossièrement agréable, était cahotée à côté de lui. La voi-
25 ture n'allait pas comme le char d'un petit-maître: le voyageur eut tout le temps de contempler le marquis immobile, abîmé dans sa douleur. Eh! mon Dieu! s'écria-t-il, je crois que c'est là Jeannot. A ce nom le marquis lève les yeux, la voiture s'arrête: C'est Jeannot lui-
30 même, c'est Jeannot. Le petit homme rebondi ne fait qu'un saut, et court embrasser son ancien camarade. Jeannot reconnut Colin; la honte et les pleurs couvrirent

son visage. Tu m'as abandonné, dit Colin ; mais tu as beau être grand seigneur, je t'aimerai toujours. Jeannot, confus et attendri, lui conta, en sanglotant, une partie de son histoire. Viens dans l'hôtellerie où je loge me conter le reste, lui dit Colin ; embrasse ma petite femme, et allons dîner ensemble. 5

Il vont tous les trois à pied, suivis du bagage. Qu'est-ce donc que tout cet attirail ? vous appartient-il ? — Oui, tout est à moi et à ma femme. Nous arrivons du pays ; je suis à la tête d'une bonne manufacture de fer étamé et 10 de cuivre. J'ai épousé la fille d'un riche négociant en ustensiles nécessaires aux grands et aux petits ; nous travaillons beaucoup ; Dieu nous bénit ; nous n'avons point changé d'état, nous sommes heureux, nous aiderons notre ami Jeannot. Ne sois plus marquis ; toutes 15 les grandeurs de ce monde ne valent pas un bon ami. Tu reviendras avec moi au pays, je t'apprendrai le métier, il n'est pas bien difficile ; je te mettrai de part, et nous vivrons gaiement dans le coin de terre où nous sommes nés. 20

Jeannot éperdu se sentait partagé entre la douleur et la joie, la tendresse et la honte ; et il se disait tout bas : Tous mes amis du bel air m'ont trahi, et Colin, que j'ai méprisé, vient seul à mon secours. Quelle instruction ! La bonté d'âme de Colin développa dans le cœur de 25 Jeannot le germe du bon naturel, que le monde n'avait pas encore étouffé. Il sentit qu'il ne pouvait abandonner son père et sa mère. Nous aurons soin de ta mère, dit Colin ; et quant à ton bon père, qui est en prison, j'entends un peu les affaires ; ses créanciers, voyant qu'il 30 n'a plus rien, s'accommoderont pour peu de chose ; je me charge de tout. Colin fit tant qu'il tira le père de prison. Jeannot retourna dans sa patrie avec ses parents, qui reprirent leur première profession. Il épousa une sœur de Colin, laquelle, étant de même humeur que le frère, le rendit très heureux. Et Jeannot le père, 5 et Jeannotte la mère, et Jeannot le fils, virent que le bonheur n'est pas dans la vanité.

NOTES

ZADIG.

Zadig was first published in 1747 under the title of *Memnon.* It appeared under the present title in the following year with the addition of Chap. XII (*le Souper*), XIII (*le Rendez-vous*), and XVII (*le Pêcheur*). Various additions to Zadig were made in the posthumous Kehl edition of Voltaire's works (1785), the most important being the whole of Chaps. XIV and XV.

The early editions of Zadig had the following *approbation* intended in mockery of the censorship of the press:

"Je soussigné, qui me suis fait passer pour savant et même pour homme d'esprit, ai lu ce manuscrit, que j'ai trouvé malgré moi, curieux, amusant, moral, philosophique, digne de plaire à ceux mêmes qui haïssent les romans. Ainsi je l'ai décrié, et j'ai assuré M. le cadi-lesquier que c'est un ouvrage détestable."

Page 3. — 1. **Sultane Sheraa,** Madame de Pompadour (1721–1764), mistress of Louis XV. is meant.

2. **mois de schewal,** the tenth (lunar) month of the Moslem calendar. **Hégire,** the *Hegira* or flight of Muhammad from Medina to Mecca and beginning of the Muhammadan era (622 A. D.).

Page 4. — 1. **Thalestris,** queen of the Amazons, who went with 300 women to meet Alexander the Great, in the hope of raising a race of Alexanders. Scander for Alexander, appears in the name of the Albanian hero, Scanderbeg (1403–1468). For Queen of Sheba (*Sabée*), see 1 Kings, Ch. x.

Page 5. — 1. **turlupinades,** *puns, quibbles.* The word in this sense is taken from Legrand (d. 1634), an actor of the *Hôtel de Bourgogne* who assumed when playing in farce the name of Turlupin.

Page 7. — 1. **Imaüs,** a name given in ancient times to a chain of mountains in Central Asia, probably corresponding to the modern Himalayas.

Page 10. — 1. **Arnoult contre l'apoplexie;** "Il y avait dans ce temps un Babylonien, nommé Arnoult, qui guérissait et prévenait toutes les apoplexies, dans les gazettes, avec un sachet pendu au cou." (*Note de Voltaire.*)

Page 11. — 1. **trop difficile à vivre,** *too hard to get along with.*

2. Voltaire is ridiculing here the *Académie des Sciences* (which had refused to elect him member), and more particularly Réaumur, for whom see also page 109, note 2.

Page 12. — 1. **à onze deniers;** pure silver is reckoned at 12 deniers; so that *argent à onze deniers* would be $\frac{11}{12}$ pure silver or approximately silver .925 fine.

Page 16. — 1. **théurgite,** "theurgist" or "magician"; here used simply for *priest.*

2. **Yébor,** anagram of Boyer (1675-1755) a theatin monk, who became bishop, preceptor of the Dauphin, etc., through the influence of the Cardinal de Fleury. Boyer was active on more than one occasion in the persecution of Voltaire.

Page 24. — 1. **physicien,** *physicist.*

Page 25. — 1. **itimadoulet,** *first minister.* Cf. Malcolm's History of Persia (1815): "The first minister, or Itûmad-u-dowlah, was Meerza Tuckee, etc."

2. **voix —— violons,** *singers — fiddlers.*

Page 27. — 1. **Sadder;** See Voltaire's *Essai sur les mœurs,* ch. XI. "Il (Zoroastre) écrivit ou commenta, dit-on, le livre du *Zend*, que les Parsis, dispersés aujourd'hui dans l'Asie, révèrent comme leur Bible. M. Hyde qui nous a donné une traduction du *Sadder*, nous aurait procuré celle du *Zend* s'il avait pu subvenir aux frais de cette recherche. Je m'en rapporte au moins au *Sadder*, à cet extrait du *Zend*, qui est le catéchisme des Parsis."

Page 28. — 1. **cire;** there are various allusions to the language of the Old Testament in the foregoing lines.

Page 34. — 1. **pôle de Canope;** some editions have *port de Canope*, and in that case the reference would be to the city of Canopus in Egypt. The better reading however is *pôle* and the Canōpus meant is a star of the first magnitude in the constellation Argo, not visible at any latitude higher than the southern part of the Mediterranean. The whole passage means that Zadig guided himself by the stars and constellations to the southward.

Page 35. — 1. **atome de boue;** for the thought cf. Tennyson's poem Vastness:

> "Raving politics, never at rest — as this poor earth's pale history runs,—
> What is it all but a trouble of ants in the light of a million million of suns."

Page 37. — 1. **A d'autres,** *not I.*

Page 39. — 1. **pensé être,** *was near being.*

Page 42. — 1. **Gangarides,** (**Γαγγαρῖδαι**), a people who, according to the ancient geographers, lived along the coasts of Bengal at the mouth of the Ganges.

Page 45. — 1. **gangaride.** Cf. page 42, note 1.

Page 47. — 1. **homme de Cambalu,** the *man of Peking.* "Cambalu est la ville capitale du Cathay ou de la Chine Orientale et septentrionale que nous appelons maintenant Pékin." D'Herbelot, *Bibliothèque Orientale* (1697).

2. **Li Tien,** "Mots chinois qui signifient proprement: *li*, la lumière naturelle, la raison; et *Tien*, le ciel; et qui signifient aussi Dieu." (*Note de Voltaire.*)

Page 48. — 1. **Teutath,** *Teutates*, war god of Druidical religion.

2. **il lui apprendrait à vivre,** *he would give him a lesson in manners.*

Page 49. — The main situation in this chapter goes back ultimately to a very old and famous Hindu story. For a comparatively modern form of the tale in Sanskrit (*Upakoshâ and her Four Lovers*) see *Kathâ-sarit-sagara* (Tawney's translation, vol. I, pp. 17 ff.). "It is a story of ancient celebrity in Europe as *Constant du Hamel ou la Dame qui attrapa un Prêtre, un Prévôt et un Forestier.*"

Page 56. — 1. *βοῶπις, ox-eyed*, i. e. having large, full, finely-rounded eyes.

Page 58. — 1. **Arabie Pétrée**; Arabia was divided by the ancient geographers into three parts: Arabia Felix ("Araby the Blest"), Arabia Deserta and Arabia Petraea, the last division including the N. W. part of the country bordering on the Red Sea.

Page 63. — 1. **seigneurs de la bouche,** *lords of the* (*queen's*) *table.*

Page 72. — 1. **en demoiselle suivante,** *like a maid in waiting.*

Pagg 75. — 1. **apothicaire du corps,** *apothecary to his lordship's person;* cf. page 63, note 1.

Page 80. — 1. **L'Ermite**; Voltaire's immediate source for the story in this chapter was Thomas Parnell's (1679–1718) poem The Hermit. Parnell was a friend of Swift's and was associated with Addison and Steele on the Spectator.

Page 91. — 1. **Ciel**; "C'est ici que finit le manuscrit qu'on a retrouvé de l'histoire de Zadig. On sait qu'il a essuyé bien d'autres aventures qui ont été fidèlement écrites. On prie messieurs les interprètes des langues orientales de les communiquer si elles parviennent jusqu' à eux." (*Note de Voltaire.*)

MICROMÉGAS.

Micromégas (from μικρὸς *small* and μέγας, *great;* the name contains the implication that all size is relative) was first printed at London in 1752 but was possibly written several years earlier. The first idea of *Micromégas* goes back to Cyrano de Bergerac's *Voyage dans la lune* (1656) but Voltaire was more immediately inspired by Swift's Gulliver.

Renan has said, with some exaggeration perhaps, that the substitution in the 16th Century of the Copernican astronomy for the geocentric and anthropocentric view of the universe held in the middle ages is the capital event in modern thought. The new astronomy appealed to Voltaire especially as an engine of attack on the old theology. The real animus of the story appears in the burst of Homeric laughter with which the giant from Sirius greets the assertion of the Sorbonne doctor that the whole universe exists solely for the benefit of man and that the entire secret of creation is contained in the *Summa* of St. Thomas Aquinas (see p. 114).

It may be noted as a curiosity of thought that the English scientist Alfred Russel Wallace has recently attempted to defend the anthropocentric theory with arguments drawn from the new astronomy itself.

Page 93. — 1. **collège des jésuites,** a tribute to the prominence of the Jesuit schools under the old Régime. Voltaire himself was educated at the Jesuit Collège de Louis-le-Grand.

2. **Blaise Pascal** (1623–1662), author of the *Pensées* and *Lettres provinciales* and one of the greatest masters of French prose.

3. **Le mufti,** an authority on Muhammadan law — especially the chief doctor of Muhammadan sacred law at Constantinople. The word as used here is a thinly disguised reference to the theological inquisitors of the Church of Rome.

Page 94. — 1. **l'esprit et le cœur;** Voltaire ridicules here and elsewhere this phrase which is used with special frequency by Rollin (1661–1741) in his *Traité des études.*

2. **Derham** (William), Vicar of Upminster, Essex (1657–1735). The reference here is explained by the following note on Derham in the Kehl edition of Voltaire: "Savant anglais, auteur de la théologie astronomique et de quelques autres ouvrages qui ont pour objet de prouver Dieu par le détail des merveilles de la nature; malheureusement, lui et ses pareils se trompent souvent dans l'exposition de ces merveilles; ils s'extasient sur la sagesse qui se montre dans l'ordre d'un phénomène, et on découvre que ce phénomène est tout différent de ce qu'ils ont supposé; alors c'est ce nouvel ordre qui leur parait un chef-d'œuvre de sagesse. Ce défaut, commun à tous les ouvrages de ce genre les ont décrédités. On sait trop d'avance, que de quelque manière que les choses soient, l'auteur finira toujours par les admirer."

Page 95. — 1. **Lulli** (1633–1687). Famous Florentine musician who introduced the opera at Paris. A bitter warfare was waged between the partisans of French and of Italian music during the 18th century.

2. **secrétaire de l'Académie de Saturne;** Fontenelle (1657–1757), secretary of the French academy, is meant. At the beginning of ch. II Voltaire ridicules him for the *préciosité* with which in his *Dialogues sur la pluralité des mondes* he has adapted astronomy

to the taste of ladies and society people. For an impartial estimate of him see Sainte-Beuve, *Causeries du Lundi*, vol. III, pp. 314 ff.

Page 99. — 1. **illustre habitant**; the reference is to Huyghens (1629–1697), famous Dutch physicist, geometrician and astronomer.

Page 100. — 1. **le père Castel,** learned French Jesuit (1688–1757), author of various mathematical works. Castel's invention of the *Clavecin des couleurs* (intended to make sound visible) won for him from Voltaire the sobriquet of the Don Quixote of mathematics.

Page 101. — 1. **nouveau style,** the change from the Julian to the Gregorian calendar was still recent when Voltaire wrote. A date *new style* is eleven days in advance of the same date *old style*.

2. **chien de manchon,** *lap dog*.

3. **roi de Prusse,** Frederick William I (1688–1740), King of Prussia and father of Frederick the Great, had a passion for collecting giant soldiers, for whom he found giant wives.

Page 104. — 1. **jusqu' alors**; the reference is to an expedition to Lapland undertaken by Maupertuis and other French scientists in order to measure a degree of longitude.

2. **le dessous des cartes,** freely, *the true inwardness of things*.

Page 105. — 1. **deux filles laponnes**; there are various references to these two Lapland maidens by Voltaire — e. g., at the beginning of his fourth *Discours sur l'homme:*

"Courriers de la physique, argonautes nouveaux,
Qui franchissez les monts, qui traversez les eaux,
Ramenez des climats soumis aux trois couronnes
Vos perches, vos secteurs et surtout deux Laponnes,
Vous avez confirmé dans ces lieux pleins d'ennui
Ce que Newton connut sans sortir de chez lui."

2. **les importants,** *consequential people*.

Page 106. — 1. **Leuwenhoek et Hartsoeker:** Antonius van Leeuwenhoek (*La'-ven-hook*), 1632–1723, Dutch naturalist, one of the most successful pioneers in the use of the microscope; Niklaas

Hartsoeker (*Härt′-soo-ker*), 1656–1725, Dutch physicist and histologist.

Page 109. — 1. **Swammerdam,** celebrated Dutch naturalist (1637–1680).

2. **Réaumur,** French physicist and naturalist, inventor of the thermometer which bears his name (1683–1757).

Page 110. — 1. **à l'heure que je vous parle**; the story is laid in 1737 and the war here referred to is that between the Turks and Russians, 1736–1739. By the *tas de boue* in line 22 Crimea is meant, which was not annexed to Russia until 1783.

Page 112. — 1. **Descartes,** René Descartes (1596–1650) famous French philosopher, physicist and geometrician.

2. **Malebranche,** (1638–1715) celebrated French metaphysician.

3. **Leibnitz** (1646–1716), German scientist and philosopher; he formulated the system of "monads" according to which there exists between the soul and the body a "preestablished harmony.".

4. **Locke** (1632–1704), English philosopher, author of the *Essay on the Human Understanding*. Many of Voltaire's own ideas are derived from Locke.

5. **entéléchie,** "In Aristotle's use: The realization or complete expression of some function; the condition in which a potentiality has become an actuality." — Murray's *New English Dictionary*.

Page 114. — 1. **Somme de saint Thomas,** the *Summa theologica* of Saint Thomas Aquinas (1227–1274) is still the basis of Catholic doctrinal teaching.

2. **selon Homère**; in Homer's *Iliad*, "shouts of inextinguishable laughter arise among the blessed Gods": cf. Iliad I, 599.

BABOUC.

Page 115. — 1. *Babouc* is supposed to have been written by Voltaire during the last months of 1747 while Voltaire was residing at Sceaux with the Duchesse du Maine. Under pretext of describing Persepolis, Voltaire has in Babouc given a lively picture of eighteenth century Paris. He protests against certain abuses that he has constantly attacked elsewhere — e. g. the habit of church-burial (ch. III), the sale of positions in the army or on the bench (ch. VI), etc.

2. **Sennaar,** region situated between the Tigris and the Euphrates.

Page 116. — 1. **darique,** *Daric*, gold coin of the ancient Persians.

Page 118. — 1. **ancienne entrée,** the *entrance* referred to is that of the Faubourg Saint-Marceau. Cf. *Candide*, Chap. XXII: "Il entra par le faubourg Saint-Marceau, et crut être dans le plus vilain village de la Vestphalie."

Page 121. — 1. **satrape de loi** stands here for *conseiller au parlement.* The parlement de Paris under the old Régime was a sort of high court of justice divided into seven "chambres" and having also certain political functions. There were two principal classes of judges, the présidents or chief justices and the conseillers. The office was regarded as the private property of the judge and could either be sold or passed on to other members of his family. It was against this abuse that Voltaire protests here and elsewhere.

Page 126. — 1. **demi-mage,** *half magician*, here for Jansenist.— **Zerdust** is another form for Zoroaster. — **Grand-lama** = *pope*.

Page 131. — 1. **petit vieillard,** the Cardinal de Fleury (1657–1743), minister of Louis XV, is meant.

Page 133. — 1. **la belle Téone,** Madame de Pompadour is probably referred to. See page 3, note 1.

JEANNOT ET COLIN.

Page 135. — 1. **Jeannot et Colin** was first printed in 1764 in the *Contes de Guillaume Vadé.* It gives a vivid picture of society under the Old Régime with its excess of feminine and salon influence. For the whole subject, see Taine *Origines de la France contemporaine*, Chap. II (*la Vie de Salon*). Taine remarks: "On peut dire qu'en ce siècle la cheville ouvrière de l'éducation est le maître à danser." Cf. what Voltaire says about Jeannot's education (p. 158): "Enfin après avoir examiné le fort et le faible des sciences, il fut décidé que monsieur le marquis apprendrait à danser."

2. **taille * * vingtième.** Names of various taxes.

taille, *villain-tax, poll-tax.*

taillon, *tallage.*

aides, *aids.*

sou pour livre, *additional tax.*

capitation, *capitation.*

vingtièmes, *land-tax of the twentieth.*

Cf. for a similar enumeration Scott's *Heart of Midlothian*, Chap. VIII: "This was a tough true-blue Presbyterian called Deans, who, though most obnoxious to the Laird on account of principles in church and state, contrived to maintain his ground upon the estate by regular payment of mail-duties, kain, arriage, carriage, dry multure, lock, gowpen, and knaveship, and all the various exactions now commuted for money and summed up in the emphatic word RENT."

Page 137. — 1. **bel air,** *fashionable.*

Page 138. — 1. **fêtes mobiles,** *moveable feasts.*

2. **un de nos beaux-esprits,** the reference is to Fontenelle; see page 95, note 2.

Page 139. — 1. **bègue;** Louis le Bègue ("Stammerer"), a son of Charles the Bald and fifth successor of Charlemagne; born 846, King 877–879.

Page 140. — 1. **Clodion le Chevelu,** Clodion Longhair, King of the Franks about 430 A. D.

Page 141. — 1. **vaudevilles,** here *comic songs.*

2. **Année littéraire,** a journal edited by Voltaire's enemy Fréron (1719–1776).

3. **La Fare** (1614–1712); **Chaulieu** (1639–1720); **Comte d'Hamilton** (1646–1720); J.—P. **Sarrasin** (1605–1654); **Voiture** (1598–1648); all celebrated wits and authors of light society verse, etc.

Page 142. — 1. **aux genoux,** *at the feet of.*

Page 143. — 1. **un théatin,** *theatin*, one of a monastic order of regular clerks founded at Rome in 1524, with the purpose of combating the Reformation.

L'HISTOIRE D'UN BON BRAMIN.

Page 147. — 1. *L'Histoire d'un bon Bramin* was written as early as 1759 and published in 1761. Voltaire writes to Madame du Deffand, 13 October, 1759: "Lisez la parabole du Bramin que j'ai eu l'honneur de vous envoyer; et je vous exhorte à jouir, autant que vous le pourrez, de la vie, qui est peu de chose, sans craindre la mort qui n'est rien."

Page 148. — 1. **Vitsnou,** *Vishnu,* in later Hindu mythology, the second member of the trimurti or triad (Brahma, Vishnu and Shiva) regarded respectively as the creator, preserver and destroyer.

VOCABULARY*

A

à, to, at, by, in, from, with; **c'est — qui,** they vie or try who.
abaissement, *m.*, abasement, disgrace, humiliation.
abaisser, to abase.
abandon, *m.*, forsaking, abandonment; **à l'—,** unprotected.
abandonner, to forsake.
abattre, to beat down; **s'—,** to fall, swoop down.
abbé, *m.*, abbot.
abcès, *m.*, abscess.
abeille, *f.*, bee.
abîme, *m.*, gulf, abyss.
abîmer, to swallow up.
abolir, to abolish.
abondance, *f.*, plenty, abundance.
abord, *m.*, access; **d'—,** first, at first.
aborder, to accost.
abrégé, *m.*, abstract.
absinthe, *f.*, absinthe, wormwood.
absolument, absolutely, by all means.
abus, *m.*, abuse, error.
académie, *f.*, academy.
accablant, -e, overwhelming.
accablement, *m.*, dejection.
accabler, to crush, overwhelm, load.
accepter, to accept.
acception, *f.*, preference, respect.
accommoder (s'), to arrange, come to terms.
accompagner, to accompany, attend.
accomplir, to accomplish; **s'—,** to be realized.
accord, *m.*, agreement, harmony; **d'—,** agreed, in harmony, granted.
accorder, to grant, reconcile.
accourir, to run up.
accoutumer, to accustom.
accréditer, to sanction, bring into favor.
accroire (faire), to make believe.
accroître, to increase.
accusa-teur, -trice, accuser.
accuser, to accuse, complain.
acéré, -e, sharp.
acharnement, *m.*, rage, fury.
acheter, to buy.
achever, to finish, complete.
aconit, *m.*, aconite.
acquérir, to acquire.
acquitter, to acquit; **s'—,** to perform, fulfill.
actuellement, at present, actually.
adieu, *m.*, farewell.
admettre, to admit.
administrateur, *m.*, administrator.
admirer, to admire, wonder at.
adorer, to worship, adore.
adoucir, to sweeten, appease; **s'—,** to relent.
adresse, *f.*, skill, craft.
adresser, to address; **s'— à,** to apply to.
adroit, -e, dexterous.

* Prepared by Miss Katharine Babbitt, formerly teacher of French in the Friends' Academy, New Bedford, Mass.

adroitement, skilfully.
adversaire, *m.*, adversary.
adversité, *f.*, adversity.
affaire, *f.*, affair, business, dispute; **avoir — à**, to have to do with; **se tirer d'—**, to get out of a difficulty.
affecter, to affect.
affectionner, to be fond of.
affermir, to strengthen, confirm.
affinité, *f.*, affinity.
affligé, **-e**, sorrowful.
affliger, to grieve.
affreu-x, **-se**, ghastly, frightful.
affronter, to affront.
afin que, that, in order that.
agilité, *f.*, agility.
agir, to act.
agit (il s'), *impers.*, the thing is, the question is; **de quoi s'— il?** what is the matter? **voici ce dont il s'—**, this is what it is.
agiter, to agitate.
agrandir, to enlarge.
agréable, agreeable; **avoir pour —**, to consent to.
agréablement, agreeably.
agrément, *m.*, pleasantness, charm.
aide, *f.*, help; *pl.*, subsidies.
aider, to help.
aigre, sour, shrill.
aigrir, to sour, exasperate.
aigu, **-e**, sharp.
aiguille, *f.*, needle.
aile, *f.*, wing.
ailleurs, elsewhere; **d'—**, besides, after all.
aimable, amiable.
aimer, to love, be fond of, like.
aîné, **-e**, eldest.
ainsi, thus, so.
ainsi que, as well as, just as, like.
air, *m.*, air, look, manner; **avoir l'—**, to look, seem; **bel —**, gentility, fashion.
aise, *f.*, ease.
aisé, **-e**, easy.
aisément, easily.
ajouter, to add, go on saying.
ajustement, *m.*, adjustment, dress.
ajuster, to adjust, fit; **s'—**, to fit, adapt oneself.
algébriste, *m.*, algebraist.
allégresse, *f.*, joy.
alléguer, to allege, quote.
Allemagne (l'), *f.*, Germany.
allemand, **-e**, German.
aller, to go, walk, be on the point of.
allumer, to kindle, light up.
almanach, *m.*, almanac, calendar.
alors, then, at that time.
altesse, *f.*, highness.
amant, *m.*, lover.
amas, *m.*, heap.
ambitieu-x, **-se**, ambitious.
âme, *f.*, soul, spirit, mind.
amende, *f.*, fine, penalty.
amener, to bring.
amertume, *f.*, bitterness.
ami, *m.*, **amie**, *f.*, friend, acquaintance.
amitié, *f.*, friendship.
amour, *m.*, love, fondness, Cupid.
amoureu-x, **-se**, in love.
amour-propre, *m.*, self-love, conceit.
amphithéâtre, *m.*, amphitheatre.
amusant, **-e**, amusing, laughable.
amuser, to amuse; **s'—**, to amuse *or* enjoy oneself.
an, *m.*, year.
analogie, *f.*, analogy.
anathème, *m.*, curse.
ancêtres, *m. plur.*, forefathers, ancestors.
ancien, **-ne**, old, ancient, former.
anéantir, to annihilate.
anéantissement, *m.*, annihilation.
ange, *m.*, angel.
animalcule, *m.*, animalcule.

animé, –**e,** animated.
animer, to animate; **s'—,** to become animated.
anneau, *m.*, ring.
année, *f.*, year, twelvemonth.
annoncer, to announce.
antichambre, *f.*, antechamber.
antique, old-fashioned, old.
antiquité, *f.*, antiquity.
apaiser, to pacify, hush.
apercevoir, to perceive, notice; **s'—,** to notice.
Apis, sacred bull of Memphis.
apologie, *f.*, apology.
apologue, *m.*, apologue, fable.
apothicaire, *m.*, apothecary.
appareil, *m.*, show, attire.
apparemment, apparently.
apparence, *f.*, look, appearance, probability.
apparent, –**e,** apparent, seeming.
appartement, *m.*, apartment.
appartenir, to belong to.
appeler, to call.
appétit, *m.*, appetite, longing.
applaudir, to applaud.
application, *f.*, application, diligence.
appliqué, –**e,** studious.
appliquer, to apply.
apporter, to bring, fetch.
apprendre, to learn, inform, teach.
apprêter, to prepare.
approcher, to bring near; **s'—,** to approach.
approprier, to appropriate; **s'—,** to appropriate to oneself, embezzle.
appuyer, to prop up, lean; **s'—,** to lean.
après, after.
après-midi, *f.*, afternoon.
arabe, *m.*, Arab; *adj.* Arabic.
Arabie (l'), *f.*, Arabia.
araignée, *f.*, spider.
arbitre, *m.*, arbiter.
arbre, *m.*, tree.
arbrisseau, *m.*, shrub, small tree.
arche, *f.*, arch, ark.
archer, *m.*, archer.
archevêque, *m.*, archbishop.
archimage, *m.*, archmagus.
archimandrite, *m.*, archimandrite, abbot.
architecte, *m.*, architect.
archives, *f. pl.*, records.
arçon, *m.*, holster, saddle-bow.
ardeur, *f.*, ardor, zeal.
arène, *f.*, arena.
argent, *m.*, silver, money.
arithmétique, *f.*, arithmetic.
arme, *f.*, weapon, arm; *plur.*, warfare.
armée, *f.*, army, host.
armer, to arm, equip; **s'—,** to arm oneself.
armoiries, *f. plur.*, coat of arms.
armure, *f.*, armor.
arpenter, to survey land.
arracher, to tear away, pull out.
arranger, to arrange; **s'—,** to come to an agreement.
arrêt, *m.*, sentence, decree.
arrêter, to stop.
arrivée, *f.*, arrival.
arriver, to come, arrive, happen, occur.
arroser, to water, bathe.
art, *m.*, art, artifice, skill.
article, *m.*, paper, article.
articulé, –**e,** articulate.
articuler, to utter.
artiste, artist, performer.
ascendant, *m.*, influence.
Asie (l'), *f.*, Asia.
asile, *m.*, refuge, shelter.
aspirer, to aspire.
assaillir, to assail.
assassin, *m.*, murderer.
assassiner, to kill, murder.
assemblage, *m.*, assemblage.
assemblée, *f.*, assembly.
assembler, to assemble.
asseoir, to seat; **s'—,** to be seated.
assez, enough, rather.

assis, -e, seated, sitting.
assistance, *f.*, help.
assister, to help, be present.
assoupir, to make drowsy.
assourdir, to deafen.
assuré, -e, certain, steady, firm.
assurément, assuredly.
assurer, to assert, assure; **s'—,** to make sure of.
astre, *m.*, star.
astrologie, *f.*, astrology.
astronome, *m.*, astronomer.
astronomie, *f.*, astronomy.
atome, *m.*, atom.
atrocité, *f.*, atrocity, atrocious-[ness.
attachement, *m.*, attachment.
attaché, -e, attached, fond (of).
attacher, to tie, fasten, link.
attaquer, to attack.
atteindre, to reach, overtake.
atteinte, *f.*, attack.
attendant (en), meanwhile.
attendre, to wait, look forward to; **s'—,** to expect.
attendrir, to soften, move to [tears.
attendrissement, *m.*, emotion, tears.
attendu que, since.
attentivement, attentively.
attirail, *m.*, paraphernalia.
attirer, to attract.
attracti-f, -ve, attractive.
attraper, to catch, trick.
attribuer, to ascribe.
attribut, *m.*, attribute.
aucun, -e, any, not any, not one.
audience, *f.*, hearing, trial, sitting.
augmenter, to increase.
auguste, august.
aujourd'hui, to-day.
aumônier, *m.*, chaplain.
auparavant, before.
auprès, close by, near; **— de,** [near.
aurore, *f.*, aurora, dawn.
aussi, also, so, therefore, as much as; **— bien,** in fact, as well.
aussitôt, forthwith, as soon.
autant, as much, so much, so many, the same.
autel, *m.*, altar.
auteur, *m.*, author.
automate, *m.*, automaton, simpleton.
autour, around.
autre, other, different, more; **rien — chose,** nothing else; **l'un ou l'—,** either; **ni l'un ni l'—,** neither; **l'un l'—,** each other; **à d'—s!** nonsense! not I!
autrefois, formerly, once upon a time.
Auvergne, *f.*, Auvergne.
avancer, to advance, move forward, promote; **s'—,** to advance.
avant, before, in front of, ere.
avantage, *m.*, advantage.
avantageusement, advantageously.
avare, *m.*, miser.
avec, with, along with.
aventure, *f.*, adventure, accident.
avertir, to warn, give notice.
aveu, *m.*, confession, acknowledgment; **de l'— de tout le monde,** by common consent.
aveugle, blind.
aveugler, to blind.
avide, grasping, covetous.
avidité, *f.*, greediness.
avis, *m.*, opinion.
avisé, -e, wary, prudent.
aviser, to espy; **s'—,** to bethink oneself of.
avocat, *m.*, lawyer.
avoir, to have, possess; **— à,** to have to; **il y a,** there is, there are; **il y avait —,** there was, there were; **— raison,** to be right.
avouer, to own, acknowledge.
axe, *m.*, axis.

B

babouche, *f.*, a sort of slipper.

Babylone, *f.*, Babylon.

bagage, *m.*, luggage, baggage.

bagatelle, *f.*, trifle, bauble.

baguette, *f.*, switch, rod, stick.

baigner, to bathe.

bail, *m.*, lease.

baiser, to kiss, embrace.

baiser, *m.*, kiss.

baisser, to lower, drop; **se —,** to stoop.

bal, *m.*, ball.

balancer, to balance, waver, to hesitate.

balayer, to sweep.

balcon, *m.*, balcony, veranda.

baleine, *f.*, whale.

ballon, *m.*, football, balloon.

Baltique, *f.*, Baltic.

bannir, to banish.

barbare, savage, barbarous, barbarian.

barbe, *f.*, beard.

barbier, *m.*, barber.

bas, basse, low, mean.

bas, *m.*, bottom; **en —,** down below; **ici —,** here below; **là —,** yonder.

basilic, *m.*, basilisk.

basilique, *f.*, basilica.

basse-cour, *f.*, farm-yard.

bassesse, *f.*, baseness.

bassin, *m.*, basin.

Bassora *or* **Basra,** a town in Asiatic Turkey.

bataille, *f.*, battle.

bâti, -e, made, built.

bâtir, to build.

bâton, *m.*, stick.

battre, to beat; **se —,** to fight.

beau, bel, belle, beautiful, fine, handsome, lucky; **avoir —,** to be in vain.

beaucoup, much, many.

beauté, *f.*, beauty, loveliness.

bègue, *m. f.*, stammerer, stammering.

bénédictin, -e, Benedictine.

bénir, to bless.

berceau, *m.*, cradle, arbor, bower.

berline, *f.*, berlin (carriage).

besoin, *m.*, want, need; **avoir — de,** to want.

bête, *f.*, beast; *adj.*, stupid.

bibliothèque, *f.*, library.

bien, *m.*, goods, virtue, property; *adv.*, very, indeed, well, much, good looking; **eh —!** well!

bien-aimé, -e, beloved.

bienfaisant, -e, beneficent, kind, beneficial.

bienfait, *m.*, benefit, kindness.

bienfai-teur, -trice, benefactor, benefactress.

bientôt, soon, shortly.

bienveillance, *f.*, goodwill.

bière, *f.*, beer.

bigot, -e, bigoted.

bijou, *m.*, jewel.

bile, *f.*, bile, wrath.

billet, *m.*, note.

bizarre, odd, whimsical.

bizarrerie, *f.*, whim, caprice.

blan -c, -che, white.

blancheur, *f.*, whiteness.

blason, *m.*, heraldry.

blasphème, *m.*, blasphemy.

blessé, -e, wounded man *or* woman.

blesser, to wound.

blessure, *f.*, wound.

bleu, -e, blue.

blond, -e, light-complexioned, fair.

bœuf, *m.*, ox, bullock.

boire, to drink.

boire, *m.*, drink.

bois, *m.*, wood, forest.

boiter, to limp.

boiteu-x -se, lame, crippled.

bon, -ne, nice, good; **à quoi —,** what is the use.

bonheur, *m.*, happiness, good luck, success.

bonhomme, *m.*, simple soul, good man.

bonnet, *m.*, cap.

bonté, *f.*, goodness.
bonze, *m.*, bonze (Buddhist priest).
bord, *m.*, edge, bank.
border, to skirt, border.
bordure, *f.*, border, frame.
boréal, -e, northern.
borgne, one-eyed.
borné, -e, limited.
borner, to limit.
bossette, *f.*, boss, stud.
botanique, *f.*, botany.
Bothnie (la), *f.*, Bothnia.
bouche, *f.*, mouth.
boucher, to stop up.
boue, *f.*, mud.
bouffi, -e, swollen out, inflated.
bouillir, to boil.
boule, *f.*, ball.
bouquin, *m.*, old book, old he-goat.
bourdonnement, *m.*, buzz.
bourg, *m.*, market-town, borough.
bourgade, *f.*, village.
bourse, *f.*, purse.
bout, *m.*, end; **venir à — de**, to succeed in, overcome.
bouteille, *f.*, bottle.
bramin, brahmane *or* **brahmine**, *m.*, Brahmin.
branche, *f.*, bough, branch.
branler, to shake.
braquer, to point.
bras, *m.*, arm, hands.
brassard, *m.*, brace, armlet.
brassardé, -e, having an arm-guard.
brave, worthy, gallant.
bréviaire, *m.*, breviary.
bride, *f.*, bridle; **à toute —**, at full speed.
briguer, to solicit.
brillant, -e, bright, sparkling.
briller, to shine.
briser, to break.
broche, *f.*, brooch, spit.
brochure, *f.*, pamphlet.
bruit, *m.*, noise, clamor, rumor, fame.
brûler, to burn.
brun, -e, brown.
brune, *f.*, dark-haired girl *or* woman.
brusquement, suddenly, abruptly.
brutal, -e, brutish; *m. f.*, churl, brute.
bûcher, *m.*, funeral pile, stake.
buisson, *m.*, bush.
bureau, *m.*, office.
butin, *m.*, booty, plunder.

C

ça (*see* **cela**), that; **— et là**, here and there.
cabale, *f.*, cabal.
cabane, *f.*, hut, cabin.
cabaret, *m.*, tavern.
cabinet, *m.*, study, closet, cabinet.
caché, -e, hidden.
cacher, to hide.
cadavre, *m.*, dead body.
cad-et, -ette, younger.
cahoter, to jolt.
caillou, *m.*, pebble.
calcul, *m.*, computation.
calcula-teur, -trice, calculating; *noun*, calculator.
calculer, to reckon, compute.
camarade, *m. f.*, comrade.
campagne, *f.*, country.
candidat, *m.*, candidate.
canicule, *f.*, dog-days, dog-star.
Canope, Canopus.
cantate, *f.*, cantata.
cap, *m.*, headland, head; **armé de pied en —**, armed from head to foot.
capitaine, *m.*, captain.
capital, -e, capital; *f.*, metropolis.
capitation, *f.*, poll-tax.
capricieu-x, -se, capricious, a capricious person.
capti-f, -ve, captive.
car, for, because.

caracoler, to caracole.
caractère, *m.*, character, letter.
carat, *m.*, carat, small diamond.
caravane, *f.*, caravan.
caresse, *f.*, caress.
carillonner, to ring a peal, jingle.
carré, -e, square.
carrière, *f.*, course, career.
carrosse, *m.*, coach.
carte, *f.*, card.
cartésien, -ne, Cartesian.
cas, *m.*, case, high opinion; **faire grand — de**, to think very highly of, dote on.
casque, *m.*, helmet.
casqué, -e, helmeted.
casser, to break.
Cathayen, -ne, inhabitant of [Cathay.
cause, *f.*, cause, suit.
causer, to converse, chat.
cavalier, *m.*, horseman.
ce, cet, *m.*, **cette**, *f.*, **ces**, *pl.*, this, that, these, those.
ce, c', he, she, it, they.
ceci, this, this thing.
céder, to give up, yield.
ceinture, *f.*, girdle, waist.
cela, that, that thing; **c'est —**, that is it.
célébrer, to celebrate, praise.
célèbre, famous, renowned.
céleste, heavenly, celestial.
Celte, *m.*, *f.*, Celt.
celui, *m.*, **celle**, *f.*, **ceux**, *m. pl.*, **celles**, *f. pl.*, he, she, one, they, those, him, her, the one.
celui-ci, *m.*, **celle-ci**, *f.*, **ceux-ci**, **celles-ci**, *pl.*, this person, the latter, these.
celui-là, celle-là, ceux-là, celles-là, that person, those, the former, the first.
cent, *m.*, a hundred.
centième, hundredth.
cependant, in the meantime, however, nevertheless.
cercle, *m.*, circle; **quart de —**, quadrant.
certain, -e, certain, worthy of trust, stated.
certainement, certainly.
cerveau, *m.*, brain.
cesse, *f.*, rest, ceasing.
cesser, to leave off, to cease.
chacun, -e, each, every one.
chagrin, *m.*, sorrow.
chagrin, -e, sorrowful.
chaîne, *f.*, chain.
chair, *f.*, flesh.
chaise, *f.*, chair, chaise.
Chaldéen, -ne, *m.*, *f.*, Chaldean.
chambellan, *m.*, chamberlain.
chambre, *f.*, room.
chameau, *m.*, camel.
champ, *m.*, field, space; **sur-le —**, on the spot, forthwith.
chancelier, *m.*, chancellor.
chandelle, *f.*, candle.
changeant, -e, changeable, fickle.
changer, to change.
chanson, *f.*, song.
chanter, to sing.
chaos, *m.*, chaos, confusion.
chapeau, *m.*, hat.
chaque, each, every.
char, *m.*, chariot.
charge, *f.*, load, charge, office.
charger, to load, intrust, charge; **se —**, to take charge of.
charmant, -e, delightful, charming.
charme, *m.*, spell, charm.
charmé, -e, delighted.
charrette, *f.*, cart.
chasser, to drive away, dismiss.
château, *m.*, castle.
châtier, to chastise.
châtiment, *m.*, chastisement, punishment.
chatouiller, to tickle.
chaudron, *m.*, caldron.
chauve, bald.
chef, *m.*, head, chief.
chef-d'œuvre, *m.*, masterpiece; *plur.*, **des chefs-d'œuvre**.
chemin, *m.*, way, road.

chêne, *m.*, oak.

cher, chère, *adj.*, dear, beloved.

cher, *adv.*, dear, dearly.

chercher, to look for, seek, endeavor.

chère, *f.*, cheer, entertainment, fare.

chèrement, dearly, dear.

chéri, -e, beloved.

chérir, to be fond of, cherish.

chéti-f, -ve, puny, wretched.

cheval, *m.*, horse; **monter, aller à —**, to ride.

chevalier, *m.*, knight.

chevelu, -e, long-haired.

cheveu, *m.*, hair.

chez, at the house of, among, to, with.

chien, -ne, dog. [ful.

chimérique, chimerical, fanci-

Chine (la), *f.*, China.

choisir, to choose.

choix, *m.*, choice.

choquer, to shock, wound.

chose, *f.*, thing.

ciel, *m.*, heaven, the sky.

ciguë, *f.*, hemlock.

cinq, five.

cinquante, fifty.

cinquantième, fiftieth.

cinquième, fifth.

circonférence, *f.*, circumference.

circonspect, -e, prudent.

circonstance, *f.*, circumstance.

circulaire, circular.

cire, *f.*, wax.

cirque, *m.*, circus.

ciseau, *m.*, chisel; *pl.*, scissors.

citer, to quote, summon.

citoyen, -ne, citizen.

civil, -e, civil, private.

clair, -e, clear.

clairement, clearly.

clarté, *f.*, light, brightness.

climat, *m.*, climate.

clou, *m.*, nail, stud.

cœur, *m.*, heart, soul, spirit.

coffre, *m.*, chest, coffer.

coiffure, *f.*, coiffure.

coin, *m.*, corner, nook.

colère, *f.*, anger; *adj.*, hasty, passionate.

colérique, choleric.

colifichet, *m.*, bauble.

colimaçon, *f.*, snail.

collège, *m.*, school, college.

coller, to stick, glue.

collier, *m.*, necklace.

colline, *f.*, hill.

colombe, *f.*, dove. [warrior.

combattant, *m.*, combatant,

combattre, to fight.

combien, how much, how many.

comble, *m.*, top, roof, the summit, zenith.

comédie, *f.*, comedy, play, theatre.

comète, *f.*, comet.

comme, *adv.*, like, how; *conj.*, as, when, since, whereas.

commencer, to begin, commence.

comment, how, why, what? *interj.*, how! what! indeed!

commerce, *m.*, trade, business.

commettre, to commit, be guilty of.

commis, *m.*, clerk.

commission, *f.*, commission, errand.

commode, convenient, pleasant.

commodément, comfortably.

commodité, *f.*, convenience, accommodation, opportunity.

commun, -e, common, usual, plentiful.

communiquer, to impart.

compagne, *f.*, companion.

compagnie, *f.*, company.

compagnon, *m.*, companion, attendant.

comparaison, *f.*, comparison.

comparer, to liken.

complaisance, *f.*, complaisance.

complaisant, -e, complaisant, obliging.

comporter, to allow; **se —,** to behave.
composer, to compose, write.
comprendre, to understand.
compromettre, to compromise, implicate.
compte, *m.*, account, calculation.
compter, to count, pay.
comptoir, *m.*, counter.
concerter, to concert.
concevoir, to conceive.
concitoyen, -ne, fellow-citizen.
conclure, to conclude.
condamnation, *f.*, doom, judgment; **passer —,** to pass sentence.
condamner, to condemn, sentence.
condition, *f.*, condition; **à — que, sous — que,** on condition that.
conduire, to lead, conduct, guide.
confesseur, *m.*, confessor.
confiance, *f.*, trust, confidence.
confier, to confide.
confins, *m. plur.*, confines, borders.
confirmer, to confirm.
confisquer, to confiscate, forfeit.
confiture, *f.*, preserves, jam.
confondre, to mingle, confuse, disturb.
conforme, conformable to, true [to.
confrère, *m.*, brother, colleague.
confronter, to confront, compare.
confus, -e, confused, ashamed.
congé, *m.*, leave.
congédier, to dismiss.
congratuler, to congratulate.
conjurer, to conspire, beseech.
connaissance, *f.*, knowledge, acquaintance; **tomber sans —,** to fall senseless.
connaître, to know, be acquainted with.
conquête, *f.*, conquest.
consacrer, to consecrate, devote.
conseil, *m.*, counsel, adviser, council.
conseiller, to advise, counsel.
consentement, *m.*, consent.
consentir, to consent.
conséquent; (par) —, consequently.
conservation, *f.*, preservation.
conserver, to preserve, keep.
considérable, weighty, considerable.
considéré, -e, much respected, looked at.
considérer, to gaze on, look at, examine, respect.
consolant, -e, comforting.
consola-teur, -trice, consoler.
consolation, *f.*, comfort, solace.
consoler, to comfort.
consommer, to complete, consume.
constance, *f.*, constancy.
construire, to construct.
consulter, to advise with.
conte, *m.*, tale, story.
contempler, to contemplate, behold, gaze on.
contemporain, -e, contemporary.
contenir, to hold, contain.
content, -e, cheerful, pleased, satisfied.
contenter, to satisfy; **se —,** to be content.
conter, to relate.
continuel, -le, continual.
continuer, to continue.
contraindre, to constrain, compel.
constraint, -e, constrained, [forced.
contraire, contrary, unfavorable.
contre, against.
contre-coup, *m.*, result, countershock.
contredire, to contradict, dis- [prove.
contrée, *f.*, country.
contribuer, to contribute.
convaincre, to convince.
convenir, to agree, acknowledge, suit.
convenu, -e, settled, agreed.

conversation, *f.*, conversation, talk.
convive, *m.*, guest.
convoitise, *f.*, covetousness.
coquin, *m.*, rascal.
cordeau, *m.*, line, rope: **tirer au —,** to lay out by the line.
cornet, *m.*, horn; **— à bouquin,** cowherd's horn.
corps, *m.*, body.
corridor, *m.*, passage, gallery.
corriger, to correct, punish.
corrompre, to corrupt, spoil, destroy, vitiate.
cortège, *m.*, retinue.
côte, *f.*, coast.
côté, *m.*, side, way.
côtoyer, to go along, by the side [of.
cou, *also* **col,** *m.*, neck.
couché, lying down.
couchée, *f.*, stopping for the night, night's lodging.
coucher, to put to bed, lay down; **se —,** to go to bed, lie down.
couler, to flow.
couleur, *f.*, color.
coup, *m.*, blow, wound, thrust.
coupable, guilty, guilty person.
coupe, *f.*, cup, goblet.
coupe-gorge, *m.*, den of thieves.
couper, to cut, lop off.
cour, *f.*, court.
courageu-x, -se, courageous.
courbe, *f.*, curve; *adj.*, curved.
courber, to bend.
courir, to run, hasten.
couronne, *f.*, crown.
courrier, *m.*, messenger, courier.
courroucer, to anger; **se —,** to be wroth, rage.
course, *f.*, running, race, privateering.
court, -e, short.
courtisan, *m.*, courtier.
cousin, -e, cousin.
couteau, *m.*, knife.
coûter, to cost.
coutume, *f.*, custom.
couvert, -e, covered.
couvrir, to cover.
crachement, *m.*, spitting.
craindre, to fear, dread.
crainte, *f.*, fear.
crayonner, to sketch.
créanci-er, -ère, creditor.
créateur, *m.*, creator.
crème, *f.*, cream.
creuser, to hollow.
creu-x, -se, deep, hollow.
cri, *m.*, cry.
crier, to cry out, screech, inveigh [against.
criminel, -le, criminal, guilty.
croire, to believe.
croître, to grow, increase.
croupe, *f.*, crupper, back.
croyable, credible, worthy of belief.
cube, cubic.
cuir, *m.*, leather.
cuirassé,-e, armed with a cuirass.
cuire, to cook.
cuisine, *f.*, kitchen.
cuisinier, *m.*, cook.
cuissard, *m.*, armor for the thigh.
cuivre, *m.*, copper, copper coin.
culotte, *f.*, breeches.
cultiver, to cultivate.
cultivé, -e, cultivated.
cupidité, *f.*, cupidity.
cure-dent, *m.*, tooth-pick.
curieu-x, -se, curious, eager, inquisitive, busybody.
curiosité, *f.*, curiosity.

D

daigner, to vouchsafe, deign.
dais, *m.*, canopy.
dame, *f.*, lady.
dangereu-x, -se, dangerous.
dans, in, into, within, during.
danser, to dance.
darique, *f.*, daric (coin).
davantage, more, longer.
de, of, from, out of, with, by.
débarquer, to land.

débarrasser, to rid of; **se—**, to get rid of.
débattre, to argue; **se —**, to struggle.
débauche, *f.*, debauch.
débauché, **–e**, debauched.
débiter, to deliver.
débi–teur, **–trice**, debtor.
debout, upright, standing.
débrouiller, to disentangle.
décadence, *f.*, decay, downfall.
décharger, to unload.
déchiffrer, to make out, decipher.
déchirer, to tear, rend.
déclaration, *f.*, declaration, disclosure.
déclarer, to declare.
déconcerter, to disconcert, baffle.
découverte, *f.*, discovery.
découvrir, to discover, disclose.
dédaigner, to scorn.
dédaigneu–x, **–se**, scornful.
dédain, *m.*, scorn.
dedans, inside.
dédicatoire, dedicatory.
dédommager, to make up, indemnify for.
défaire, to undo, rid of; **se —**, to get rid of.
défaut, *m.*, fault, weak point; **au — de**, for want of.
défendre, to defend, forbid; **se —**, to resist.
défense, *f.*, defence.
défi, *m.*, challenge.
défiant, **–e**, mistrustful, distrustful, wary.
défier, to defy; **se —**, to distrust.
défunt, **–e**, deceased.
dégoût, *m.*, loathing.
dégoûtant, **–e**, disgusting.
degré, *m.*, degree.
dehors, outside, appearances.
déjà, already.
déjeuner, to breakfast, *m.*, breakfast.
delà, beyond.
délicat, **–e**, delicate, dainty, touchy.
délicatesse, *f.*, delicacy.
délicieu–x, **–se**, delicious, delightful.
délivrer, to deliver, rescue.
demain, to-morrow.
demander, to ask, beg.
démêler, to disentangle, discover.
déménager, to remove, move.
demeure, *f.*, abode, dwelling.
demeurer, to live, dwell, remain.
demi, **–e**, half; **— -tour**, *m.*, half-turn; **faire un — -tour**, to face about; **— -mot**, *m.*, hint.
demoiselle, *f.*, damsel, young lady.
denier, *m.*, denier, penny, farthing.
denrée, *f.*, provisions, commodity.
dénuer, to strip.
départ, *m.*, departure.
dépendre, to depend.
dépens, *m. plur.*, expense.
dépense, *f.*, expenditure.
dépenser, to spend.
déplaire, to displease.
déplorer, to bewail.
déposer, to lay down, put down, commit, give evidence.
déposséder, to dispossess, strip.
dépouille, *f.*, booty.
depuis, since; **— que**, for, during, afterward, since; **— que**, recently.
député, *m.*, deputy.
derni–er, **–ère**, last, latter.
dérober, to steal from, shield; **se —**, to escape, shun, be hidden.
derrière, back; *prep.*, behind.
derviche, **dervis**, *m.*, dervish.
dès, from; **— que**, as soon as.
désarçonner, to unhorse.
désarmer, to disarm.
désastre, *m.*, disaster.
descendre, to go down.
désert, **–e**, desert, *m.*, wilderness.

désespéré, -e, in despair.
désespérer, to despair.
désespoir, *m.*, despair.
désintéressé, -e, unselfish.
désintéressement, *m.*, disinterestedness, unselfishness.
désir, *m.*, desire, longing.
désirer, to desire.
désolé, -e, laid waste, distressed.
désoler, to lay waste.
désordre, *m.*, disorder.
désormais, hereafter, henceforth.
despotique, despotic.
despotiquement, despotically.
dessécher, to dry.
dessein, *m.*, design, purpose, plan.
dessin, *m.*, drawing.
dessous, beneath, below.
dessus, on, upon, above; **là-dessus**, thereupon.
destin, *m.*, fate, destiny.
destinée, *f.*, destiny, fate.
destiner, to destine, doom.
détaché, -e, detached.
déterminer, to induce.
détourner, to turn away.
détruire, to destroy.
deux, two.
deuxième, second.
devant, before, in front of; **de —**, front; **aller au-devant de**, to go to meet.
développer, to unfold, develop.
devenir, to become.
deviner, to divine, find out.
devise, *f.*, motto, device.
devoir, to owe, be obliged, be necessary.
devoir, *m.*, duty.
dévorer, to devour; **se —**, to devour each other.
dévot, -e, devout, sanctimonious.
diamant, *m.*, diamond.
diamètre, *m.*, diameter.
dicter, to dictate.
Dieu, *m.*, God.
différence, *f.*, difference.
différend, *m.*, difference.
difficile, difficult, hard, troublesome, unaccommodating.
difficulté, *f.*, difficulty.
digérer, to digest.
digne, worthy.
dignité, *f.*, dignity,
diligence, *f.*, speed, diligence.
diminuer, to diminish.
dîner, to dine; —, *m.*, dinner.
dire, to say, express, declare; **c'est-à-dire**, that is to say.
diriger, to direct.
discernement, *m.*, discernment, acuteness.
discerner, to discern.
discorde, *f.*, discord.
discours, *m.*, speech.
discr-et, -ète, discreet, judicious.
discrétion, *f.*, prudence, discretion.
disgrâce, *f.*, fall from favor, disgrace, affliction.
disgracier, to disgrace.
disparaître, to disappear, vanish.
disputer, to dispute, vie with, contend.
disséquer, to dissect.
distinctement, distinctly.
distinction, *f.*, eminence, distinction.
distinguer, to distinguish.
distraction, *f.*, inattention, absence of mind.
distrait, -e, absent, heedless.
distribuer, to distribute.
divan, *m.*, divan (*fig.*, council).
divers, -e, various, diverse.
divertir, to divert, entertain.
divin, -e, divine.
divinité, *f.*, godhead.
diviser, to divide.
divisibilité, *f.*, divisibility.
dix, ten.
dixième, tenth.
docteur, *m.*, doctor.

doigt, *m.*, finger.
domaine, *m.*, domain.
domestique, *m.*, servant.
dommage, *m.*, wrong, pity.
dompter, to subdue.
don, *m.*, gift.
donc, then, so.
donner, to give.
dont, of whom, whose, from which, with which.
doré, -e, gilt, golden.
dormir, to sleep.
dos, *m.*, back.
dot, *f.*, dowry.
douane, *f.*, customs.
doucement, gently, sweetly.
douceur, *f.*, sweetness, gentleness.
douleur, *f.*, pain, sorrow.
douloureu-x, -se, painful.
douloureusement, sorrowfully.
doute, *m.*, doubt.
douter, to doubt, question; **se —**, to suspect.
dou-x, -ce, sweet, gentle, mild.
douze, twelve.
drachme, *f.*, drachm.
droit, -e, right, straight, straightforward; (*noun*) tax; **de —**, by right.
droiture, *f.*, uprightness.
dromadaire, *m.*, dromedary.
duc, *m.*, duke.
ducat, *m.*, ducat.
dur, -e, hard.
durable, lasting.
durée, *f.*, continuance.
durer, to last.
dureté, *f.*, hardness.

E

eau, *f.*, water.
ébène, *m.*, ebony.
éblouir, to dazzle.
éblouissant, -e, dazzling.
ébranler, to shake, unsettle.
écarté, -e, remote, lonely.
écarter, to remove, set aside, scatter.
échapper, to escape; **s'—**, to escape.
échauffer, to heat; **s'—**, to get warm, grow angry.
échec, *m.*, chess.
écheniller, to clear from caterpillars.
échoir, to fall to the lot.
échouer, to run aground.
éclaircir, to clear up, solve.
éclaircissement, *m.*, enlightenment.
éclairer, to enlighten.
éclat, *m.*, burst, brilliancy.
éclater, to burst, break out.
école, *f.*, school.
écorcher, to skin, graze.
écouter, to listen.
écraser, to crush.
écrier (s'), to cry out, exclaim.
écrire, to write.
écrit, *m.*, writing.
écu, *m.*, crown.
écurie, *f.*, stable.
écuyer, *m.*, squire, equerry; **grand —**, the master of the horse.
édifier, to edify.
effarer, to scare.
effectivement, in fact.
effet, *m.*, effect, security, property; **en effet**, in fact.
effilé, -e, slender.
effleurer, to graze, touch slightly.
effroi, *m.*, dismay.
effroyable, frightful.
égal, -e, equal.
également, equally.
égard, *m.*, regard, respect; **à l'— de**, with regard to.
égarer, to lead astray, bewilder.
égorger, to cut the throat of, butcher.
Egypte (l'), *f.*, Egypt.
égyptien, -ne, Egyptian.

élancer, to shoot; **s'—,** to spring.
élevé, –e, high, bred.
élever, to raise, elevate, rear.
elle, she, her, it.
ellébore, *m.*, hellebore.
éloge, *m.*, praise, eulogy.
éloigné, –e, remote, distant.
éloigner, to remove.
éluder, to evade.
émailler, to enamel.
embarquer, to embark.
embarras, *m.*, hindrance, trouble, embarrassment.
embarrasser, to obstruct, embarrass; **s'—,** to get mixed up with, trouble one's head about, be at a loss.
embellissement, *m.*, embellishment.
embonpoint, *m.*, stoutness.
embrasser, to embrace, kiss.
émeraude, *f.*, emerald.
émouvoir, to move, rouse.
empaler, to empale.
emparer (s'), to seize.
empêcher, to prevent; **s'—,** to help, keep from.
empereur, *m.*, emperor.
empester, to infect.
empire, *m.*, empire, sway.
emploi, *m.*, employment.
employer, to employ, use.
empoisonner, to poison.
emporté, –e, hasty, passionate.
emportement, *m.*, transport.
emporter, to carry away; **l'—,** to get the better of, prevail.
empressé, –e, eager.
empressement, *m.*, eagerness.
empresser (s'), to hasten, be studious of pleasing, assiduously attentive.
emprisonner, to imprison.
emprunter, to borrow.
empyrée, *m.*, empyrean.
ému, –e, *part.*, touched, moved.
émule, *m.f.*, rival, emulator.
en, *prep.*, in, into, like a, as a.
en, *pers. pron.*, of him, of her, of them, of it, thence, from him, from her, from it, from them.
encan, *m.*, auction; **à l'—,** by auction.
encens, *m.*, incense.
encenser, to flatter.
enchaînement, *m.*, chain, train.
enchanté, –e, enchanted, delightful.
enchanter, to enchant.
enchan-teur, –teresse, enchanter, enchanting.
enchère, *f.*, bid.
enchérir, to outbid; **— sur,** to surpass.
enclos, *m.*, enclosure.
encore, still, yet, again, still more.
encourager, to encourage.
endosser, to put on, don.
endroit, *m.*, spot, place.
enfance, *f.*, infancy, childhood.
enfant, *m.f.*, child.
enfermer, to shut up *or* in.
enfin, at last, at length, in short.
enflammer, to set fire to, heat, rouse.
enfler, to swell, inflate.
enfoncer, to drive in.
enfuir (s'), to flee, take to flight.
engageant, –e, prepossessing.
engager, to induce, engage.
engeance, *f.*, breed.
engouffrer (s'), to be lost *or* engulfed.
énigme, *f.*, riddle.
enjambée, *f.*, stride.
enlever, to raise, carry away.
ennemi, –e, enemy, foe.
ennuyer, to tire; **s'—,** to feel dull, be weary.
ennuyeu-x, –se, tedious, wearisome.
énorme, enormous.
enrôler, to enrol, enlist.
ensanglanté, –e, bloody, stained with blood.

ensanglanter, to stain with blood.
enseigner, to teach.
ensemble, together.
ensevelir, to bury.
ensuite, afterwards, next.
entamer, to begin to cut, enter upon.
entéléchie, *f.*, entelechy.
entendement, *m.*, understanding.
entendre, to hear, understand, intend.
entendu, -e, heard, understood, arranged.
enterrer, to inter.
enti-er, -ère, whole, entire, total.
entonnoir, *m.*, funnel.
entourer, to surround.
entraîner, to carry along, gain over, win.
entre, between, among, in.
entrechat, *m.*, caper, cut.
entrecouper, to traverse, break.
entrée, *f.*, entrance.
entreprendre, to undertake.
entrepreneur, *m.*, contractor.
entreprise, *f.*, undertaking.
entrer, to enter.
entretenir, to entertain, converse with.
entretien, *m.*, conversation.
entrevoir, to catch a glimpse of.
envahir, to invade, overrun.
envelopper, to cover, envelop.
envenimé, -e, envenomed.
envers, towards.
envie, *f.*, wish, longing, envy.
envieu-x, -se, envious.
environ, about.
environner, to surround.
environs, *m. plur.*, vicinity.
envoler (s'), to fly away.
envoyé, *m.*, messenger.
envoyer, to send.
épagneul, -e, spaniel.
épargner, to spare.
épaule, *f.*, shoulder.
épée, *f.*, sword.
éperdu, -e, bewildered, distracted.
éperdument, distractedly.
épithalame, *m.*, epithalamium.
épître, *m.*, epistle.
éploré, -e, in tears, weeping.
époque, *f.*, epoch.
épouse, *f.*, wife.
épouser, to marry.
épouvante, *f.*, dismay.
épouvanter, to appal.
époux, *m.*, husband.
éprendre (s'), to be enamored.
épris, smitten.
épreuve, *f.*, trial, test; **à toute —**, tried, trusty.
éprouver, to try, prove, experience.
épuiser, to exhaust.
épuré, -e, chaste.
équilibre, *m.*, equilibrium.
équipage, *m.*, equipage, garb, plight, crew.
équité, *f.*, equity.
ermite, *m.*, hermit.
errant, -e, wandering.
erreur, *f.*, error.
erroné, -e, erroneous, wrong.
escalier, *m.*, staircase.
esclavage, *m.*, slavery.
esclave, *m. f.*, slave.
espace, *m.*, space.
espèce, *f.*, kind, sort.
espérance, *f.*, hope.
espérer, to hope, expect.
esprit, *m.*, spirit, mind, intellect, wit; **bel —**, wit.
essai, *m.*, trial, test.
essayer, to try.
essentiellement, essentially.
essouffler, to put out of breath.
essuyer, to wipe, endure, undergo.
estime, *f.*, esteem.
estimer, to estimate, value.
et, and.
établir, to set up, establish.

étage, *m.*, story, floor, rank.
étaler, spread out, display.
étamer, to tin.
étang, *m.*, pond.
état, *m.*, state, condition, plight; **en — de**, in a position to, able to.
éteindre, to extinguish, quench.
étendre, to extend, stretch.
étendu, -e, extensive.
étendue, *f.*, extent.
éternel, -le, lasting, eternal.
éternité, *f.*, eternity.
étincelle, *f.*, spark.
étiquette, *f.*, label, etiquette.
étoile, *f.*, star.
étonnant, -e, astonishing.
étonnement, *m.*, wonder, amazement.
étonner, to astonish; **s'—**, to be astonished, wonder, waver.
étouffer, to smother, choke.
étourdi, -e, blunderer.
étrange, strange.
étrang-er, -ère, foreign, unknown, foreigner.
étrangler, to strangle.
être, to be, exist, belong; *noun*, being, existence.
étroit, -e, narrow, close.
étroitement, closely, narrowly.
étude, *f.*, study.
étudier, to study; to make it one's study.
Euclide, *m.*, Euclid.
eunuque, *m.*, eunuch.
Euphrate (l'), *m.*, the Euphrates.
évanouir (s'), to faint, swoon, vanish.
éveillé, -e, awakened.
éveiller, to wake, rouse; **s'—**, to awake.
événement, *m.*, event.
éviter, to avoid.
exagérer, exaggerate.
examen, *m.*, examination.
examiner, to examine.
excepter, to except.
excès, *m.*, excess.
excessi-f, -ve, excessive.
exciter, to urge, excite.
exécuter, to execute, carry out, be done.
exécu-teur, -trice, executor.
éxécution, *f.*, execution, carrying out, tendering.
exemple, *m.*, example; **par —**, for example, for instance.
exempt, -e, exempt, free.
exempter, to exempt.
exercer, to exercise.
exercice, *m.*, exercise.
exhaler, to exhale, emit.
exhorter, to exhort.
existence, *f.*, existence, life.
exister, to exist.
exorcisme, *m.*, exorcism.
expédier, to despatch, expedite.
expédition, *f.*, despatch, expedition.
expérience, *f.*, experience.
expirant, -e, dying.
expirer, to breathe out one's last, [die.
expliquer, to explain.
exposer, to exhibit, lay bare; **s'—**, to lay oneself open, expose oneself.
expr-ès, -esse, express; *noun*, courier.
expressément, expressly, particularly.
exprimer, to express, utter.
exterminer, to destroy utterly.
extrait, *m.*, extract; (*law*) brief.
extraordinaire, extraordinary, unusual.
extravagant, -e, wild, extravagant, absurd.
extrême, extreme.
extrémité, *f.*, extremity, end.

F

fabuleu-x, -se, fabulous.
fâché, -e, angry, displeased, sorry.

fâcher, to make angry; **se —**, to get angry.
facilité, *f.*, facility, ease.
faciliter, to facilitate, make easy.
façon, *f.*, fashion; **de — que**, so that.
faculté, *f.*, faculty.
faible, feeble, weak, faint; *noun*, the weak, frailty.
faiblesse, *f.*, feebleness, weakness, fainting fit.
faim, *f.*, starvation, hunger.
faire, to do, make, play, counterfeit; **se —**, to get used to, reconcile oneself to.
fait, -e, *past part.*, done, made.
fait, *m.*, fact; **mettre au —**, to acquaint with.
fakir, *m.*, fakir.
falloir, must, to be obliged, be necessary.
fameu-x, -se, famous.
familiariser, to familiarize; **se —**, to grow familiar.
familiarité, *f.*, familiarity; *plur.*, liberties.
famille, *f.*, family, household.
fanatique, fanatical.
fange, *f.*, mud, filth.
fantaisie, *f.*, fancy, whim.
fardeau, *m.*, burden.
faste, *m.*, pomp, display.
fatigue, *f.*, hardship, weariness.
fatiguer, to tire.
fatras, *m.*, rubbish.
faubourg, *m.*, suburb.
faute, *f.*, fault, sin.
fau-x, -sse, false.
faveur, *f.*, favor.
favor-i, -ite, favorite.
favoriser, to favor.
fée, *f.*, fairy.
feindre, to feign.
feinte, *f.*, feint.
félicité, *f.*, happiness.
féliciter, to congratulate.
femme, *f.*, woman, wife.
fendre, to split, cleave.
fendu, -e, split, cloven.
fenêtre, *f.*, window.
fer, *m.*, iron, horse-shoe.
ferme, firm, steady.
fermé, -e, shut, closed.
fermement, firmly.
féroce, fierce, wild.
ferré, -e, shod, tipped with iron.
ferrer, to shoe.
fête, *f.*, festival, feast.
fêter, to observe, feast.
fétu, *m.*, straw.
feu, *m.*, fire; **—-follet**, will-o'-the-wisp.
fidèlement, faithfully.
feuille, *f.*, leaf.
fibre, *f.*, fibre.
fidèle, faithful, loyal.
fiel, *m.*, spleen, malice.
fie-r, -ère, proud, haughty.
fièrement, proudly, haughtily.
fierté, *f.*, pride, haughtiness.
figure, *f.*, figure, face.
figurer, to figure; **se —**, to figure to oneself, fancy.
fil, *m.*, thread, stream, current.
filet, *m.*, thread, net.
fille, *f.*, daughter, maiden.
filou, *m.*, pickpocket.
fils, *m.*, son.
fin, *f.*, end, aim.
fin, -e, fine, delicate, acute, keen.
fin, *m.*, fine material, pure metal.
finance, *f.*, cash, finances, exchequer, money matters.
financier, *m.*, financier.
finir, to finish, end.
fixe, fixed, stationary.
fixer (se), to fix, fasten.
fixement, fixedly.
flambeau, *m.*, torch, candlestick.
flamme, *f.*, flame.
flatter, to flatter, caress; **se —**, to flatter oneself.
flatteu-r, -se, flattering; *noun*, flatterer.

flèche, *f.*, arrow.
flegmatique, phlegmatic.
flétrir, to fade, blight, dishonor.
fleur, *f.*, flower.
fleurir, to bloom, flourish.
fleuve, *m.*, river.
flottant, -**e,** wavering.
flotter, to float.
flux, *m.*, flood, flow.
foi, *f.*, faith.
foire, *f.*, fair, market.
fois, *f.*, time; **à la —,** at once; **une —,** once; **deux —,** twice.
folie, *f.*, folly, madness.
follet, -**te,** playful, foolish; **feu —,** will o' the wisp.
fond, *m.*, bottom, fund, depth, heart; **de — en comble,** from top to bottom; completely.
fondamental, -**e,** fundamental.
fondation, *f.*, foundation.
fondement, *m.*, foundation.
fondeur, *m.*, founder, smelter.
fondre, to melt.
fonds, *m.*, ground, landed estate, fund, stock in trade, principal.
fontaine, *f.*, spring, fountain.
force, *f.*, strength.
forcené, -**e,** mad.
forcer, to compel.
forêt, *f.*, forest.
forfait, *m.*, heinous crime.
forme, *f.*, form, shape.
former, to form, make.
fort, -**e,** strong; *m.*, strong man, strong side; *adv.*, very, very much.
fortement, strongly.
fortifier, to strengthen; **se —,** to grow stronger.
fortune, *f.*, fortune, chance.
fortuné, -**e,** fortunate.
fou, fol, folle, mad, insane.
fouet, *m.*, whip, lashes.
foule, *f.*, crowd, quantity.
fourmilière, *f.*, ant-hill.
fourmiller, to swarm.
fournir, to supply, furnish.
fraîcheur, *f.*, freshness, bloom.
frais, fraîche, cool, fresh.
frais, *m. plur.*, expenses.
franc, franche, frank.
français, -**e,** French; *noun*, French language, Frenchman.
franchise, *f.*, freedom.
frapper, to strike, knock, rap.
frein, *m.*, bit, curb.
frémir, to shudder.
fréquenter, to frequent.
frère, *m.*, brother, friar.
fripon, -**ne,** rogue.
frivole, flimsy, trifling.
froid, *m.*, cold; **—-e,** *adj.*, cold.
froidement, coldly, faintly.
fromage, *m.*, cheese.
front, *m.*, forehead.
frontière, *f.*, frontier.
frotter, to rub.
fugiti-f, -**ve,** fugitive.
fuir, to flee, take flight, avoid.
fuite, *f.*, flight.
fumée, *f.*, smoke, fumes.
funeste, baleful, disastrous.
fureur, *f.*, fury.
furieu-x, -**se,** furious.

G

gabelle, *f.*, tax upon salt.
gage, *m.*, pledge, wages.
gagner, to gain, win, earn.
gai, -**e,** merry, cheerful.
gaieté, gaîté, *f.*, mirth, gaiety.
galant, -**e,** tasteful, genteel, gallant.
galanterie, *f.*, politeness, compliment.
galerie, *f.*, gallery.
galoper, to gallop.
Gange (le), *m.*, the Ganges.
garçon, *m.*, boy.
garde, *f.*, guard; **prendre —,** to take care.
garder, to keep, withhold; **se —,** to beware; **se — de,** be careful not to.

garnir, to furnish.
gâter, to spoil.
gauche, left, awkward.
gazette, *f.*, newspaper.
gazon, *m.*, grass.
géant, *m.*, giant.
gémeaux, *m. pl.*, Gemini.
gémissement, *m.*, groan.
gênant, **-e**, troublesome, annoying.
gêner, hinder; **se** —, to stand upon ceremony.
général, **-e**, general.
généreu-x, **-se**, generous, noble.
générosité, *f.*, generosity.
génie, *m.*, genius, spirit.
genou, *m.*, knee.
genre, *m.*, kind, species.
gens, *m. f. plur.*, people, servants; — **de bien**, good people.
géographie, *f.*, geography.
géomètre, *m.*, geometrician.
géométrique, geometrical.
gloire, *f.*, glory.
golfe, *m.*, gulf, bay.
gonfler, to inflate.
goût, *m.*, taste, flavor, liking, [fancy.
goûter, to taste, like.
goutte, *f.*, drop.
goutteu-x, **-se**, gouty.
gouvernement, *m.*, government.
gouverner, to manage, govern.
gouverneur, *m.*, governor, tutor.
grâce, *f.*, grace, thanks, mercy, pardon; **de** —, I beg of you! pray!
grade, *m.*, rank.
graine, *f.*, seed.
grand, **-e**, great, large, wide, high, tall; *noun*, great man, grandee.
grandeur, *f.*, greatness, size.
gratuit, **-e**, gratuitous, gratuitousness.
gratuitement, gratuitously.
graver, to engrave.
gré, *m.*, will, pleasure.
grec, *m.*, Greek.
gredin, *m.*, scamp.
greffier, *m.*, clerk of the court.
grenadier, *m.*, grenadier.
grief, *m.*, grievance.
griffon, *m.*, griffin.
gris, **-e**, gray.
gros, **grosse**, big, bulky.
grossi-er, **-ère**, gross, coarse, plain.
grossièrement, coarsely, plainly.
grossir, to enlarge.
Guèbre, *m.*, fire-worshipper, Parsi.
guêpe, *f.*, wasp.
guère, but little, not much, hardly.
guérir, to cure; **se** —, get well.
guérison, *f.*, recovery.
guerre, *f.*, war.
guerrier, *m.*, warrior.
gui, *m.*, mistletoe.
guider, to guide, lead.

H

habile, clever, talented.
habileté, *f.*, ability, cleverness, skill.
habiller, to dress.
habit, *m.*, clothes, garb, coat.
habitable, inhabitable.
habitant, **-e**, inhabitant, resident.
habitation, *f.*, habitation, abode.
habiter, to inhabit, live in.
habitude, *f.*, custom.
haine, *f.*, hatred.
haïr, to hate.
haleine, *f.*, breath.
haletant, **-e**, panting.
hardi, **-e**, daring.
harmonieu-x, **-se**, harmonious, tuneful.
harpie, *f.*, harpy.
hasard, *m.*, chance, accident; **au** —, at random.
hasarder, to risk.

hâte, *f.*, haste.
hâter, to urge on; **se —,** to hasten.
hausser, to lift up, raise.
haut, -e, loud, high; *m.*, height; **là-—,** above, on high.
hautement, aloud, loudly.
hauteur, *f.*, height, haughtiness, pride.
hébété, -e, dullard.
Hébreu, *m.*, Hebrew.
hélas! alas!
herbe, *f.*, grass.
hérésie, *f.*, heresy.
hérétique, heretical; *m.*, a heretic.
hérissé, -e, bristling.
héritage, *m.*, heritage.
hériter, to inherit.
héritier, *m.*, heir.
héroïne, *f.*, heroine.
héros, *m.*, hero.
heure, *f.*, hour, time.
heureu-x, -se, happy, fortunate.
heureusement, happily, successfully.
hier, yesterday.
histoire, *f.*, history, story, tale.
historien, *m.*, historian.
hiver, *m.*, winter.
hommage, *m.*, homage.
homme, *m.*, man, mankind.
honnête, honest, respectable, polite, well-bred.
honneur, *m.*, honor.
honoraires, *m. pl.*, fee.
honorer, to honor.
honte, *f.*, disgrace, shame.
honteu-x, -se, ashamed.
hôpital, *m.*, hospital.
horreur, *f.*, horror.
hors, hors de, out of, except.
hospitalité, *f.*, hospitality.
hôte, *m.*, host, guest.
hôtel, *m.*, mansion; **maître d'—,** house-steward.
hôtellerie, *f.*, inn.
huée, *f.*, hoot.
huissier, *m.*, usher, sheriff's officer.
huit, eight.
humain, -e, human, humane.
humains, *m. pl.*, human beings.
humanité, *f.*, humanity.
humble, humble, lowly.
humblement, humbly.
humeur, *f.*, temper, disposition.
humiliant, -e, humiliating.
humiliation, *f.*, humiliation.
humilité, *f.*, humility.
Hyrcanie (l'), *f.*, Hyrcania.

I

ici, here, hither, now, to-day; **d'— là,** between this and then **jusqu'—,** hitherto, until now; **—-bas,** here below.
idée, *f.*, idea, thought.
ignorance, *f.*, ignorance.
ignorant, -e, ignorant, ignoramus.
ignoré, -e, unknown.
ignorer, to be unacquainted with, be ignorant of.
île, *f.*, island, isle.
illustre, illustrious.
image, *f.*, image, picture.
imagination, *f.*, whim, fancy, imagination.
imaginer, to imagine, contrive.
immobile, motionless.
immonde, unclean.
immortaliser, to immortalize.
immortel, -le, immortal, deathless.
immuable, unalterable, unchangeable.
impénétrabilité, *f.*, impenetrability.
impertinent, -e, impertinent, impertinent creature.
impie, impious.
impiété, *f.*, impiety.
impitoyable, unmerciful, pitiless.
impitoyablement, mercilessly.

implorer, to implore, beseech.
important, -**e,** important; *m.*, consequential person.
importer, to import, be of importance; **peu importe,** it matters little.
importuner, to trouble, importune.
imposant, -**e,** imposing.
impression, *f.*, impression, print.
imprimer, to stamp, impress.
impromptu, *m.*, extemporary.
imprudent, -**e,** imprudent, indiscreet.
incarnat, *m.*, flesh color.
incendie, *m.*, fire.
incertain, -**e,** uncertain.
incessamment, immediately, incessantly.
inclination, *f.*, inclination, bow, fondness.
incliner, to incline, bow, feel disposed.
incommoder, to inconvenience.
inconnu, -**e,** unknown.
incontinent, forthwith.
inculte, wild, rude.
indécis, -**e,** doubtful, wavering.
Indes, *f.*, **(les),** the Indies.
index, *m.*, forefinger.
indice, *m.*, indication, token, sign.
Indien, -**ne,** Indian.
indigne, unworthy.
indignement, unworthily, infamously.
indigner, to rouse the indignation of.
indignité, *f.*, indignity.
indubitablement, undoubtedly.
indulgence, *f.*, indulgence.
industrie, *f.*, ingenuity.
inégal, -**e,** unequal, irregular.
inextinguible, unquenchable.
infaillible, infallible.
infecter, to taint.
infidèle, faithless; *noun*, infidel, unbeliever.
infini, -**e,** infinite, boundless; *noun*, the infinite.
informer, to inform, acquaint; s'—, to inquire.
infortune, *f.*, misfortune.
infortuné, -**e,** unfortunate, ill-fated.
ingénieu-x, -**se,** ingenious.
ingénument, frankly, fairly.
ingrat, -**e,** *adj.*, ungrateful, thankless; *noun*, ungrateful person.
inhumain, -**e,** inhuman.
inimitié, *f.*, enmity.
inintelligible, unintelligible.
iniquité, *f.*, iniquity.
initier, to initiate.
injure, *f.*, insult.
injustice, *f.*, injustice.
innombrable, innumerable.
inonder, to overflow, deluge.
inouï, -**e,** unheard of, most wonderful.
inqui-et, -**ète,** anxious.
inquiétude, *f.*, anxiety.
inquisiteur, *m.*, inquisitor.
inscrire, to put down, enter, inscribe.
insensé, -**e,** foolish, rash.
insensiblement, imperceptibly.
insinuer, to insinuate.
insister, to insist.
inspirer, to inspire, prompt.
instance, *f.*, entreaty, earnestness.
instant, *m.*, instant.
instituer, to establish.
instructi-f, -**ve,** instructive.
instruction, *f.*, instruction, lesson.
instruire, to instruct, inform.
instruit, -**e,** acquainted with.
instrument, *m.*, instrument.
insultant, -**e,** insulting.
insulte, *f.*, insult.
insulter, to insult.
insurmontable, insurmountable, insuperable.
intègre, upright.

interdire, to forbid.
interdit, –e, speechless.
intéressant, –e, interesting.
intérêt, *m.*, interest.
interlocu–teur, –trice, speaker.
interroger, to question.
interrompre, to interrupt.
intervalle, *m.*, interval.
intime, intimate.
intimider, to intimidate.
intrépide, intrepid, fearless.
intrigant, intriguing.
introduire, to introduce, show in.
inutile, useless.
inutilement, in vain.
invective, *f.*, invective.
inventer, to invent.
inviolablement, inviolably.
inviter, to invite.
involontaire, involuntary.
irréconciliable, irreconcilable.
irriter, to irritate.
issue, *f.*, entrance, exit.
Italie(l'), *f.*, Italy.
italien, –ne, Italian.
itimadoulet, *m.*, first minister.

J

jaillir, to gush out, flash.
jalousie, *f.*, jealousy.
jalou–x, –se, jealous; *noun*, jealous person.
jamais, never, ever.
jambe, *f.*, leg, foot.
jardin, *m.*, garden.
jarret, *m.* ham, shin; *fig.*, leg.
jaunâtre, yellowish.
jaune, yellow.
javelot, *m.*, javelin.
Jeannot, *m.*, Jack, Jacky.
jésuite, Jesuit.
jeter, to throw, drop; **se—**, to throw oneself, jump.
jeu, *m.*, game, play, sport.
jeune, young.
jeunesse, *f.*, youth.
joie, *f.*, joy.
joindre, to join.
joint, –e, joined.
joli, –e, pretty.
Jonas, *m.*, Jonah.
jouer, to play.
jouir, to enjoy.
jour, *m.*, day, daylight, light.
journée, *f.*, day, day-time, day's work, day's journey.
judiciaire, judicial.
judicieu–x, –se, judicious.
juge, *m.*, judge, magistrate.
jugement, *m.*, judgment, sentence.
juger, to judge.
juillet, *m.*, July.
Jupiter, *n.*, Jupiter.
jurer, to swear.
jurisconsulte, *m.*, jurisconsult, lawyer.
jusque, jusqu'à, jusques à, even to, till, as far as, up to.
jusquiame, *f.*, henbane.
juste, just, fair, accurate; **au —**, exactly.
justice, *f.*, justice, goodness, the law.
justifier, to justify, vindicate.

K

knout, *m.*, knout, whip.

L

là, there, thither.
là-bas, yonder, down below.
laborieu–x, –se, industrious.
laboureur, *m.*, husbandman.
lacet, *m.*, snare, noose.
lâche, cowardly.
lacté, –e, lacteal; **voie —e**, the Milky Way.
là-dessus, upon that, thereupon.
laid, –e, ugly.

laisser, to leave, allow, let.
laisser faire, not to interfere.
lambeau, *m.*, shred, tatter.
lamenter, to bewail.
lance, *f.*, lance, spear.
langue, *f.*, language, tongue.
langueur, *f.*, languor.
languissant, -e, languid.
lapin, -e, rabbit.
lapon, -ne, Laplandish, Laplander.
large, broad; *m.*, breadth.
larme, *f.*, tear.
las, lasse, weary, tired.
lasser, to tire out.
laver, to wash, bathe.
le, la, l', les, *art.*, the; *pron.*, him, her, it then.
lec-teur, -trice, reader.
lecture, *f.*, reading.
lég-er, -ère, slight, frivolous, swift.
légèreté, *f.*, lightness, nimbleness, unsteadiness.
légitime, lawful, rightful.
leibnitzien, follower of Leibnitz.
lendemain, *m.*, the next day.
lent, -e, slow.
lequel, laquelle, lesquels, lesquelles, *rel. pron.*, who, that, whom, which.
lèse-majesté, high treason.
lettre, *f.*, letter.
lettré, lettered; *m.*, learned man, scholar.
leur, to them, them; *poss. adj.*, their; *pl.*, **leurs**.
levant, rising.
lever, to raise, lift up; **se—**, to get up, arise.
lèvre, *f.*, lip.
libéralement, freely.
libéra-teur, -trice, *m.*, deliverer.
liberté, *f.*, liberty.
libre, free.
lice, *f.*, lists, arena, tilt-yard.
lien, *m.*, band; *plur.*, bonds.
lier, to tie, fasten, enter into.
lieu, *m.*, place, stead; **au — de**, instead of.
lieue, *f.*, league.
ligne, *f.*, line (*here*=1/12 *inch*).
lire, to read, peruse.
liste, *f.*, list, roll.
lit, *m.*, bed.
livre, *m.*, book.
livre, *f.*, pound, livre, franc.
livrer, to deliver, give; **se —**, to give oneself up, indulge.
loge, *f.*, lodge, cell.
logement, *m.*, lodging.
loger, to lodge.
loi, *f.*, law.
loin, far.
long, -ue, long, slow; **—**, *m.*, length; **à la longue**, in the long run.
longtemps, long, a long time.
lorgner, to ogle.
lors, then.
lorsque, when.
louange, *f.*, praise.
louer, to praise.
louis, -d'or, old French coin worth about $4.60.
loyalement, faithfully.
lueur, *f.*, glimmer.
lui, he, it, to him, to her; **—-même**, himself, itself.
lumière, *f.*, light, knowledge.
lune, *f.*, moon, month.
lunette, *f.*, telescope; *pl.* spectacles.
Lyon, *m.*, Lyons.

M

mage, *m.*, magian, wise man of the East.
magistrat, *m.*, magistrate.
magnifique, magnificent.
magnifiquement, magnificently.
maille, *f.*, mesh, link of mail.
main, *f.*, hand.
maintenant, now.
mais, but.
maison, *f.*, house, home.
maître, *m.*, master, owner,

teacher; **petit-** —, coxcomb.
maîtresse, *f.*, mistress, lady.
majesté, *f.*, majesty.
majestueu-x, **-se**, majestic, stately.
mal, *m.*, evil, mischief, pain, sickness, trouble; *adv.*, badly, ill.
malade, ill, sick; sick person, patient.
maladie, *f.*, disease.
maladroit, **-e**, awkward.
malédiction, *f.*, curse.
malébranchiste, follower of the philosopher Malebranche.
mal-être, *m.*, discomfort.
malgré, in spite of.
malheur, *m.*, unhappiness, misfortune.
malheureu-x, **-se**, unhappy, unfortunate.
malheureusement, unfortunately.
malhonnête, dishonest.
malignité, *f.*, malice.
malpropre, unclean.
malsonnant, **-e**, ill-sounding.
manche, *m.*, handle; *f.*, sleeve.
manchon, *m.*, muff.
manger, to eat.
manière, *f.*, way, manner.
manifestement, manifestly.
manifester, to manifest.
manœuvre, *f.*, manœuvre, drill.
manquer, to fail, lack.
manteau, *m.*, cloak.
manuscrit, *m.*, manuscript.
marchand, **-e**, merchant.
marchandise, *f.*, merchandise, commodity.
marché, *m.*, market, bargain.
marcher, to walk, proceed.
mare, *f.*, pool, puddle.
mari, *m.*, husband.
mariage, *m.*, marriage.
marié, **-e**, married man, married woman.
marier, to marry; **se** —, to get married.
marque, *f.*, mark.
marquer, to mark, testify.
marquisat, *m.*, marquisate.
massacrer, to massacre.
matelot, *m.*, sailor.
mathématique, mathematical
matière, *f.*, matter.
matin, *m.*, morning.
maudire, to curse.
maudit, **-e**, cursed.
mauvais, **-e**, bad, mischievous.
me, me, to me.
méchant, **-e**, wicked, bad.
mécontentement, *m.*, discontent.
médecin, *m.*, doctor.
médecine, *f.*, medicine.
Médie(la), *f.*, Media.
médiocre, middling, mediocre.
médiocrement, moderately.
médire, to speak ill of, slander.
médisance, *f.*, slander, scandal.
médisant, **-e**, slanderous.
méditerranée, (la), mediterranean.
mégarde; **par** —, by mistake.
meilleur, **-e**, better, best.
mélange, *m.*, mixture.
mêler, to mix, mingle; **se** —, to concern oneself with, interfere.
même, *adj.*, same; *adv.*, even; **de** —, in the same way; **quand** —, even if.
mémoire, *f.*, memory, recollection; *m.*, memorandum.
menacer, to threaten.
ménager, to spare.
ménagerie, *f.*, menagerie.
mendicité, *f.*, beggary.
mener, to lead, convey, take.
menton, *m.*, chin.
menu, **-e**, small.
méprendre (se), to be mistaken.
méprisable, despicable.
méprise, *f.*, mistake.
mépriser, to despise.
mer, *f.*, sea.
merci, *f.*, mercy; *m.*, thanks.
mère, *f.*, mother.

mérite, *m.*, merit, worth.
mériter, to deserve, earn.
merveilleu-x, -se, marvellous.
merveilleusement, admirably.
messieurs, *see* **monsieur**.
mesure, *f.*, measure; **à — que**, in proportion as.
mesuré, -e, measured.
mesurer, to measure; **se —**, to measure swords, try one's strength.
métairie, *f.*, farm.
métamorphose, *f.*, metamorphosis.
métaphysicien, -ne, metaphysician.
métaphysique, *f.*, metaphysics; *adj.*, metaphysical.
méthodiquement, methodically.
métier, *m.*, trade, handicraft, business.
mets, *m.*, viand.
mettre, to put; **se — à**, to begin.
meubler, to furnish.
meurtre, *m.*, murder.
mi, half.
midi, *m.*, noon, the south.
miel, *m.*, honey.
mien (le), mienne (la), mine.
mieux, *adv.*, better, best; **à qui — —**, in emulation of each other.
mil, one thousand.
milieu, *m.*, middle, midst.
mille, *m.*, one thousand; mile.
millième, thousandth.
millier, *m.*, thousand.
mine, *f.*, look, bearing.
ministère, *m.*, office, minister's offices.
ministre, *m.*, minister.
miroir, *m.*, mirror.
misérable, wretch.
mite, *f.*, mite.
Mithra, in ancient Persian mythology, the god of light.
mobile, movable, moving.
mobilité, *f.*, mobility.
mode, *f.*, fashion; **à la —**, fashionable.
modèle, *m.*, model, pattern.
modéré, -e, moderate.
modérer, to moderate, restrain.
modestie, *f.*, modesty.
mœurs, *f.*, morals, habits.
moi, me, to me, myself.
moindre, *adj.*, less, least.
moins, *adv*, less, least, except; **du —**, at least.
mois, *m.*, month.
moitié, *f.*, half.
mollement, luxuriously, softly.
mollesse, *f.*, softness, effeminacy, indolence.
momie, *f.*, mummy.
mon, ma, mes, my.
monarque, *m.*, monarch.
monde, *m.*, world, people, society; **tout le —**, everybody.
monseigneur, *m.*, my lord, your lordship, lord.
monsieur, (*pl.*, **messieurs**), *m.*, sir, gentleman, Mr.
monstre, *m.*, monster.
mont, *m.*, mount.
montagne, *f.*, mountain.
monté, -e, mounted.
monter, to ascend, mount, take up.
montrer, to show.
moquer (se), to laugh at, make game of.
morale, *f.*, morality, ethics.
morceau, *m.*, piece.
mordre, to bite.
mors, *m.*, bit.
mort, *f.*, death; *m. f.*, corpse.
mortel, -le, mortal.
Moscou, *m.*, Moscow.
Moscovie (la), *f.*, Muscovy.
mot, *m.*, word, saying; **avoir le —**, to be in the secret; **bon —**, joke.
mouche, *f.*, fly.
mouiller, to wet.
mourant, -e, dying.

mourir, to die.
mouton, *m.*, sheep.
mouvement, *m.*, motion, impulse, movement, life, animation.
moyen, *m.*, means, way.
moyennant, by means of.
muet, -te, dumb, mute.
mufti, *m.*, (Turkish) mufti.
mulet, *m.*, mule.
multiplier, to multiply.
munir, to provide, arm.
murmure, *m.*, murmur.
murmurer, to murmur, grumble.
musicien, *m.*, musician.
musique, *f.*, music.
mutiler, to mutilate.
mutuellement, mutually.

N

nain, -e, dwarf.
naissance, *f.*, birth.
naissant, -e, new-born, rising.
naître, to be born.
naturel, *m.*, nature, disposition.
ne, not; **ne... pas**, not.
né, -e, *part.*, born.
néant, *m.*, nothingness.
nécessaire, necessary.
nécessité, *f.*, necessity.
négliger, to neglect.
négociant, *m.*, merchant.
nègre, *m.*, negro.
net, -te, clean, fair.
neu-f,— ve, new, newly made.
neuf, nine.
neveu, *m.*, nephew.
nez, *m.*, nose.
ni, nor; **ni . . . ni**, neither . . . nor.
nier, to deny.
noblement, nobly.
noblesse, *f.*, nobility.
noce, *f.*, wedding.
noir, -e, black.
nom, *m.*, name.
nombre, *m.*, number, a great many.
nombreu-x, -se, numerous.
nommer, to name; **se —**, to be called.
non, no, not.
nord, *m.*, the north.
notre, nos, our.
nôtre, (le, la, les —s), ours.
nourrir, to nourish.
nouveau, nouvel, -le new, recent, novel.
nouvelle, *f.*, news.
nouvellement, recently.
noyer, to drown, bathe, plunge.
nu, -e, naked, bare.
nuage, *m.*, cloud.
nuit, *f.*, night.
nul, -le, no, not one.
nulle part, nowhere; anywhere.

O

o, O! oh! [fish god.
Oannès, Oannes, Babylonian
obéir, to obey.
objet, *m.*, object.
obliger, to oblige.
obscur, -e, dark.
obscurcir, to obscure.
observa-teur, -trice, observer.
observer, to observe.
obtenir, to obtain.
occasion, *f.*, occasion, oppor-
occident, *m.*, west. [tunity.
occupé, -e, taken up, occupied.
occuper, to occupy; **s'—**, to occupy oneself; **—la parole à**, to break in upon.
océan, *m.*, ocean.
odeur, *f.*, odor.
œil, *m.*, (*pl.*, **yeux**), the eye; **coup d'—**, glance.
œuvre, *f.*, work.
offenser, to offend.
officier, *m.*, officer.
offrir, to offer, give.

oiseau, *m.*, bird.
oisi-f, -ve, idle, idler.
on, l'on, one, we, people, you, they.
onagre, *m.*, wild ass.
once, *f.*, ounce.
oncle, *m.*, uncle.
ongle, *m.*, nail.
onze, eleven.
opéra, *m.*, opera.
opiner, to give one's opinion, advise.
opiniâtre, obstinate, opinionated.
opiniâtreté, *f.*, obstinacy.
opium, *m.*, opium.
opposer, to oppose.
opprimer, to oppress.
or, *m.*, gold; *conj.*, now.
orage, *m.*, storm.
ordinaire, usual, ordinary; **d'—**, usually.
ordonnance, *f.*, order, prescription.
ordonner, to order.
ordre, *m.*, order.
oreille, *f.*, ear.
oreiller, *m.*, pillow.
organe, *m.*, organ.
orgueil, *m.*, pride.
orgueilleu-x, -se, arrogant, haughty.
orient, *m.*, the east, orient.
originairement, orginally.
origine, *f.*, origin.
ornement, *m.*, ornament.
orner, to adorn.
Orosmade, Ormuzd, the god of light, according to Zoroaster, opposed to Ahriman, the power of darkness.
oser, to dare.
ôter, to remove.
ou, or.
où, d'—, whither, where, when, whence.
oublier, to forget.
oui, yes.
ouïr, to hear.
ouragan, *m.*, hurricane.
ours, *m.*, bear.
ourse, *f.*, she-bear, Ursa.
outrager, to outrage, insult.
outre, *f.*, skin, goat skin.
outrer, to overstrain, incense.
ouvert, -e, open.
ouverture, *f.*, opening.
ouvrage, *m.*, work, piece, workmanship.
ouvrier, *m.*, workman.
ouvrir, to open.
ovale, *m.*, oval.

P

page, *f.*, page; *m.*, page (boy attendant).
paille, *f.*, straw.
pain, *m.*, bread.
pair, *m.*, peer.
paire, *f.*, pair.
paisiblement, quietly.
paître, to graze.
paix, *f.*, peace.
palais, *m.*, palace.
palefrenier, *m.*, groom.
pâleur, *f.*, paleness.
palmier, *m.*, palm-tree.
palpiter, to palpitate.
pâmer, to swoon.
panache, *m.*, plume.
panser, to dress, groom.
paon, *m.*, peacock.
papier, *m.*, paper.
par, by, through, out of, from.
paraître, to appear, stand forth.
parce que, because.
parcourir, to travel over *or* through.
pardonner, to forgive, pardon.
pareil, -le, alike, similar.
parent, -e, *m. f.*, relative, parent.
parer, to ward off, parry.
paresse, *f.*, idleness, laziness.
parfait, -e, perfect.
parfaitement, perfectly.

parfumer, to perfume; **se —**, to perfume one's person.
parler, to speak, talk.
parmi, among.
parole, *f.*, word, speech; **prendre la —**, to begin to speak.
part, *f.*, share, part; **nulle —**, nowhere, anywhere; **faire — à**, to inform; **être de —**, to have share in; **mettre de —**, to give a share in.
partage, *m.*, share.
partager, to divide, share.
partant, *obs.*, therefore.
parterre, *m.*, flower-bed.
parti, *m.*, party, decision, match.
particulie–r, –ère, particular, private.
partie, *f.*, part.
partir, to set out, start, proceed, leave.
partout, everywhere.
parure, *f.*, ornament, attire.
parvenir, to reach, arrive at, succeed in.
pas, *m.*, pace, step; *adv.*, not.
passablement, tolerably.
passag–er, –ère, passing, passenger.
passe, *f.*, pass.
passer, to pass; **se —**, to happen, dispense with.
passionné, –e, impassioned.
passionément, passionately.
pathétique, pathetic.
patiemment, patiently.
pâtiss–ier, –ère, pastry-cook.
patrie, *f.*, native land *or* place.
patron, *m.*, patron, employer.
patte, *f.*, paw.
pauvre, poor.
pauvreté, *f.*, poverty.
paver, to pave.
payer, to pay.
payeur, *m.*, payer.
pays, *m.*, country, land.
peau, *f.*, skin.
pêche, *f.*, peach.
pêche, *f.*, fishing.
péché, *m.*, sin.
pêcheur, *m.*, fisherman.
pédant, –e, pedant.
pédanterie, *f.*, pedantry.
peindre, to paint, portray.
peine, *f.*, pain, trouble; **à —**, hardly, scarcely.
peintre, *m.*, painter.
peinture, *f.*, painting.
pelle, *f.*, shovel.
penchant, *m.*, inclination.
pencher, to incline, lean.
pendant, during, for.
pendre, to hang.
pénétré, –e, penetrated, affected.
pénétrer, to penetrate, go through, concern.
pénible, painful, toilsome.
pénitence, *f.*, repentance.
pensée, *f.*, thought, idea.
penser, to think; **j'ai pensé être empalé**, I came near being impaled.
percer, pierce, open.
perdre, to lose, defame, ruin.
père, *m.*, father.
péripatéticien, –ne, peripatetic.
périr, to perish.
périssable, perishable.
permettre, to allow.
permis, –e, lawful.
perroquet, *m.*, parrot.
Persan, –e, Persian.
Perse, *f.*, Persia; *adj.*, Persian.
persécuter, to persecute.
Persépolis, *m.*, Persepolis.
personnage, *m.*, personage.
personne, *f.*, person; **–ne**, *pron.*, no one, any one.
persuader, to persuade.
perte, *f.*, loss, ruin.
pervers, –e, perverse.
pesamment, heavily.
pesanteur, *f.*, weight, ponderousness.
peser, to weigh.
pestilentiel, –le, pestilential.

petit, -e, small, little.
petitesse, *f.*, littleness.
peu, little, few; **pour — que,** if only, however little; **— à —,** little by little.
peuple, *m.*, people, nation.
peupler, to populate.
peur, *f.*, fear.
peut-être, perhaps.
philosophale; la pierre —, the philosopher's stone.
philosophe, *m.*, philosopher.
philosopher, to philosophize.
philosophie, *f.*, philosophy.
physicien, *m.*, natural philosopher, physicist.
physionomie, *f.*, physiognomy.
physique, physical, bodily.
picotement, *m.*, prickling.
Pictaves, inhabitants of the province of Poitou.
pièce, *f.*, piece, room; **de toutes —s,** at all points.
pied, *m.*, foot; **-de roi,** foot-rule.
pierre, *f.*, stone; **une — de touche,** a touchstone.
pierreries, *f.*, precious stones.
piller, to plunder, pillage, crib.
pince, *f.*, tongs, crowbar.
pincettes, *f. pl.*, tongs, pincers.
pinnule, *f.*, sight-vane.
piquant, -e, pointed, prickly.
piquer, to prick; **se —,** to plume oneself.
piqûre, *f.*, prick, puncture.
pire, worse.
pis, *adv.*, worse, the worst.
pitié, *f.*, pity; **quelle —,** what a paltry thing!
place, *f.*, place, room, office, market, square.
placer, to place.
plaider, to plead.
plaideu-r, —se, litigant.
plaie, *f.*, wound.
plaindre, to pity; **se —,** to complain.
plaine, *f.*, plain.
plainte, *f.*, complaint, groaning.
plaire, to please; **à Dieu ne plaise!** God forbid! **plût au ciel!** would to heaven!
plaisamment, humorously.
plaisant, -e, pleasant, humorous, laughable, diverting.
plaisanterie, *f.*, pleasantry, practical joke.
plaisir, *m.*, pleasure.
planète, *f.*, planet.
plante, *f.*, plant.
plat, -e, flat.
plébéien, -ne, plebeian.
plein, -e, full, filled.
pleinement, fully.
pleur, *m.*, *poet.*, lament.
pleurer, to weep.
plomb, *m.*, lead.
plonger, to plunge, dip.
pluie, *f.*, rain.
plume, *f.*, feather, pen.
plupart, (la), *f.*, most, the greatest part.
plus, more; **de —,** moreover.
plusieurs, several, many.
plutôt, rather.
poche, *f.*, pocket.
poésie, *f.*, poetry.
poète, *m.*, poet.
poids, *m.*, weight.
poignard, *m.*, dagger.
point, *adv.*, not, no; *m.*, point; **à — nommé,** in the nick of time; **le — du jour,** day-break.
pointe, *f.*, point.
pointu, -e, pointed, sharp.
poisson, *m.*, fish.
poitrine, *f.*, chest.
polaire, polar.
pôle, *m.*, (*astr.*), pole.
poli, -e, polite, polished.
policé, -e, polished, civilized.
poliment, politely.
politesse, *f.*, politeness.
pompe, *f.*, pomp.
pont, *m.*, bridge.
pontife, *m.*, pontiff.
porcelaine, *f.*, china.
pore, *m.*, pore.

porte, *f.*, door, gate.
porté, -e, inclined, disposed.
porter, to bear, enact.
porteu-r, -se, bearer.
portier, *m.*, porter, doorkeeper.
portière, *f.*, coach-door.
portion, *f.*, portion, share.
portrait, *m.*, picture, portrait.
poser, to place.
positi-f, -ve, positive.
posséder, to possess, own.
poste, *f.*, post, post-office.
postérité, *f.*, posterity.
postillon, *m.*, postilion.
pouce, *m.*, thumb, inch.
poule, *f.*, hen.
pour, for, on account of, as, in order to.
pourpre, purple.
pourquoi, why.
pourri, -e, rotten.
pourrir, to rot.
pourriture, *f.*, rottenness.
poursuite, *f.*, pursuit.
poursuivre, to pursue, persecute.
pourvoir, to provide.
pourvu que, provided that.
pousser, to push, utter, hit.
poussière, *f.*, dust.
pouvoir, to be able.
prairie, *f.*, meadow.
pratique, *f.*, customer.
pratiquer, to practise, associate with.
précaution, *f.*, precaution.
précéder, to precede.
précepte, *m.*, precept.
précepteur, *m.*, teacher.
prêcher, to preach.
précieu-x, -se, precious.
précipitamment, precipitately.
précipité, -e, hurried.
précipiter, to hurl; **se —**, to fling oneself headlong, rush down.
précisément, precisely.
prédicateur, *m.*, preacher.
prédire, to foretell.
préférer, to prefer.
préjugé, *m.*, prejudice.
prémices, *f.*, first-fruits.
premie-r, -ère, best, first, former.
prendre, to take, grasp, borrow; **s'y —**, to go *or* set about it; **bien lui prit** *or* **lui en prit**, it was lucky for him.
préparer, to prepare; **se —**, to prepare.
près, près de, near, close to, on the point of; **à cela —**, this excepted; **à beaucoup —**, not nearly.
présager, to forbode.
prescrire, to prescribe.
présence, *f.*, presence, sight.
présenter, to present; **se —**, to present oneself.
préserver, to preserve.
présider, to preside.
presque, almost, nearly.
presse, *f.*, throng, press; **sous —**, in the press.
pressé, -e, hurried, crowded.
presser, to be urgent, press, tread down.
prêt, -e, ready.
prétendant, -e, claimant, suitor.
prétendre, to pretend to, claim, mean.
prétendu, -e, so-called, fictitious.
prêter, to lend, ascribe.
prêtre, *m.*, priest.
prévenir, to precede, prevent, anticipate, warn.
prévoyance, *f.*, foresight.
prier, to pray, beseech, invite.
prière, *f.*, prayer.
primiti-f, -ve, primitive.
princesse, *f.*, princess.
principe, *m.*, principle.
printemps, *m.*, springtide, spring.
prise, *f.*, hold, influence; **— de corps**, arrest.
prisonni-er, -ère, prisoner.
priver, to deprive.
prix, *m.*, price, reward, prize: **à vil —**, under price.

probablement, probably.
probité, *f.*, integrity.
procès, *m.*, lawsuit, trial.
proclamer, to proclaim.
procureur, *m.*, attorney.
prodigalité, *f.*, prodigality.
prodige, *m.*, prodigy.
prodigieusement, prodigiously.
prodigieu-x, **-se**, prodigious, stupendous.
prodiguer, to lavish, squander.
produire, to produce.
proférer, to utter.
profit, *m.*, profit.
profiter, to profit, improve.
profond, **-e**, deep, profound.
profondeur, *f.*, depth.
profusion, *f.*, profusion.
proie, *f.*, prey; **en — à**, prey to.
projet, *m.*, project, design.
promenade, *f.*, walk.
promener, to take out for a walk, take a walk; **se —**, to take a drive, a ride *or* walk.
promesse, *f.*, promise.
promettre, to promise.
prompt, **-e**, speedy, ready.
prononcer, to utter, pronounce.
prophète, *m.*, prophet.
prophétiser, to prophesy.
propice, propitious.
proportionner, to proportion.
propos, *m.*, discourse, remark; **à —**, opportunely, to the purpose.
proposer, to propose.
proposition, *f.*, proposal, proposition.
propre, own, very, self-same, fit, clean, neat, tidy, appropriate.
proprement, cleanly, nicely.
propriété, *f.*, property.
prospérer, to prosper.
prosterner (se), to prostrate oneself.
protéger, to protect.
prouver, to prove.
province, *f.*, province, country.
provision, *f.*, supply.
prudent, **-e**, prudent.
prunelle, *f.*, eye-ball.
Prusse (la), *f.*, Prussia.
publier, to publish.
publiquement, publicly.
puce, *f.*, flea.
puis, then.
puisque, since, as.
puissamment, powerfully, very.
puissance, *f.*, power.
puissant, **-e**, powerful.
punir, to punish.
punition, *f.*, punishment.
pupille, *m. f.*, ward, pupil.
pur, **-e**, pure, genuine.

Q

quai, *m.*, wharf.
qualité, *f.*, quality, rank.
quand, when; (*with conditional*) even if; **— même**, even though, even if.
quant à, as for, as to.
quarante, forty.
quart, *m.*, quarter, fourth; **— de cercle**, quadrant.
quatorze, fourteen.
quatre, four.
quatre-vingts, eighty.
quatrième, fourth.
que, *rel. pron.*, whom, that, which, what? *conj.*, that, than; *adv.*, how? how much?
quel, **-le**, what, who, which.
quelque, some, any, a few, whatever.
quelquefois, sometimes.
quelqu'un, **-e**, some one, somebody.
querelle, *f.*, quarrel.
quereller, to quarrel, scold; **se —**, to quarrel.
queue, *f.*, tail.
qui, who, whom, that, whoever, which, what.

quinze, fifteen.
quitter, to leave, part from.
quoi, which, that, what; **de —**, wherewith; **— qu'il en soit**, at all events.
quoique, though, although.

R

raccommoder, to mend, reconcile.
raconter, to relate.
raffermir, to harden, buoy up.
rafraîchir, to refresh, renew.
rage, *f.*, rage, fury.
raillerie, *f.*, raillery.
raison, *f.*, reason, sense.
raisonnable, reasonable.
raisonnement, *m.*, reasoning.
raisonner, to reason, argue.
raisonneu-r, -se, reasoner, dialectician.
rajuster, to set to rights.
ramasser, to gather up.
ramener, to bring back.
ramper, to crawl.
rang, *m.*, row, rank, station.
ranimer, to revive, recruit.
rapidement, rapidly.
rappeler, to recall.
rapport, *m.*, account, report.
rapporter, to bring back, relate; **s'en —**, to refer the matter to.
rare, uncommon, rare.
rarement, rarely.
raser, to shave, skim along.
rasoir, *m.*, razor.
rassasier, to satisfy.
rassembler, to collect, call together; **se —**, to meet, gather.
rassurer (se), to take heart again, be reassured.
rate, *f.*, spleen.
rauque, hoarse.
ravager, to ravage, lay waste.
ravir, to carry off, enrapture, delight.
ravissant, -e, charming.
ravisseur, *m.*, ravisher.
rayer, to scratch out.
rayon, *m.*, ray.
réalité, *f.*, reality.
rebâtir, to rebuild.
rebondi, -e, plump, chubby.
rebut, *m.*, refuse.
récent, -e, recent, new, late.
receveur, *m.*, receiver.
recevoir, to receive.
recherche, *f.*, search, quest.
réciproque, reciprocal.
récit, *m.*, narration, story.
réciter, to recite, relate.
réclamer, to claim back.
recommandation, *f.*, recommendation, esteem.
recommander, to recommend, request.
recommencer, to begin again.
récompense, *f.*, reward.
récompenser, to reward.
réconcilier, to reconcile.
reconduire, to take back, go back with.
reconnaissance, *f.*, recognition, gratitude.
reconnaissant, -e, grateful.
reconnaître, to recognize, discover.
recouvrer, to recover.
recouvrir, to cover up again.
récrier (se), to cry out loudly, protest.
recruter, to recruit.
reculé, -e, remote.
reculer, to draw back, recoil.
redemander, to ask back, ask again.
rédiger, to draw up.
redire, to repeat, find fault; **trouver à —**, to find fault.
redoublement, *m.*, paroxysm.
redoubler, to increase.
redouter, to dread, fear.
réduire, to reduce.
réellement, really.

réfléchir, to reflect.
réflexion, *f.*, reflection, thought.
refluer, to flow back.
reflux, *m.*, ebb.
réformer, to reform, reverse.
refrain, *m.*, chorus.
réfugier (se), to take refuge.
refus, *m.*, refusal, denial.
refuser, to refuse.
regagner, to recover, get back to.
regard, *m.*, look, glance.
regarder, to look at, consider, face.
régime, *m.*, regimen, diet, system.
régler, to regulate.
régner, to reign.
regretter, to regret.
réguli-er, -ère, regular.
rein, *m.*, the loins, back.
reine, *f.*, queen.
réitérer, to reiterate.
rejoindre, to rejoin; **se** —, to meet again.
réjouir, to gladden, cheer.
relever, to raise up, set off; **se** —, to stand up.
religieu-x, -se, religious; *noun*, friar, nun.
remarque, *f.*, remark.
remarquer, to notice.
remède, *m.*, remedy.
remercier, to thank.
remettre, to put back; **se** —, to recover.
remonter, to reascend, get up again, go back, remount.
remontrance, *f.*, remonstrance.
remontrer, to show again, point out.
remplir, to fill.
rempli, -e, filled.
remporter, to carry away, win.
remuer, to move.
renaître, to be born again, revive.
rencontrer, to meet, encounter.
rendez-vous, *m.*, appointment, rendez-vous, time of meeting, place of meeting.
rendormir (se), to go to sleep again.
rendre, to make, return, restore, yield; **se** —, to go, repair, come, become, yield.
renfermer, to shut up, confine.
renommé, -e, renowned.
renommer, to celebrate.
renoncer, to renounce, give up.
rente, *f.*, income.
rentrer, to recover, reenter, return.
renverse (à la), backwards.
renverser, to throw down, knock down, turn.
renvoyer, to send again, return.
répandre, to pour out, spread; **se** —, to spread, launch out.
reparaître, to reappear.
réparer, to mend, make up for.
repartir, to answer, go away again.
répartir, to distribute.
repas, *m.*, meal.
repasser, to repass, rehearse.
repentir (se), to repent.
répéter, to repeat, rehearse.
replier, to fold up; **se** —, to fall back.
répliquer, to reply.
répondre, to answer, reply; to be security.
réponse, *f.*, answer.
reposer, to rest, repose; **se** —, to rest.
repousser, to thrust back, spurn, resent.
reprendre, to return, reply.
représenter, to represent, perform.
reprise, *f.*, renewal, return; **à plusieurs —s**, several times, over and over again.
reproche, *m.*, reproach.
reprocher, to reproach; **se** —, reproach oneself with.

répudier, to put away.
répulsi-f, -ve, repulsive.
réserver, to reserve.
résider, to live.
résister, to resist.
résolument, resolutely.
résoudre, to resolve.
respecter, to respect.
respirer, to breathe, long for.
resplendissant, -e, resplendent.
ressembler, to be like, resemble.
ressentir, to feel, betoken.
resserrer, to narrow, contract.
ressource, *f.*, resource, shift.
ressouvenir (se), to recollect.
reste, *m.*, remainder.
rester, to remain, stay.
résultat, *m.*, result.
résulter, to result.
retenir, to withhold, keep back, deduct.
retentir, to ring, echo.
retiré, -e, secluded.
retirer, to withdraw, pull back; **se —**, to retire, withdraw.
retour, *m.*, return, coming back, reverse, change.
retourner, to return; **se —**, to turn round; **s'en —**, to return.
retracer, to trace again, recall.
retraite, *f.*, retreat.
retrouver, to find again, recover.
réunir, to reunite, bring together.
réussir, to succeed.
réveiller, to awake, rouse.
revendre, to sell again.
revenir, to come back, return, accrue.
revenu, *m.*, revenue.
rêver, to dream, think.
révérence, *f.*, reverence, bow.
révérer, to revere, reverence.
rêverie, *f.*, revery.
revêtir, to clothe, array.
revoir, to see again.
révolte, *f.*, rebellion.
révolter, to revolt.
révolution, *f.*, revolution.
Rhin (le), *m.*, the Rhine.
riche, rich, costly.
richesse, *f.*, wealth.
rideau, *m.*, curtain.
ridicule, ridiculous.
rien, *m.*, nothing, not anything.
rire, to laugh; *noun*, laughter.
rivage, *m.*, shore.
rive, *f.*, bank.
rivière, *f.*, river.
robe, *f.*, gown, robe, the law; **— de chambre**, dressing-gown.
robuste, sturdy, athletic, strong.
rocher, *m.*, rock.
rognure, *f.*, paring.
roi, *m.*, king.
roman, *m.*, novel.
rompre, to break.
rond, -e, round.
ronger, to gnaw, prey upon.
rosée, *f.*, dew.
roue, *f.*, wheel.
rouge, red.
rougeur, *f.*, redness, flush.
rougir, to grow red, be ashamed
roulant, -e, rolling, easy.
rouler, to revolve, turn.
roupie, *f.*, rupee.
route, *f.*, road, way.
rouvrir, to open again.
royal, -e, royal.
royaume, *m.*, kingdom.
ruban, *m.*, ribbon.
rubis, *m.*, ruby.
rude, harsh, rude.
ruine, *f.*, ruin.
ruiner, to ruin.
ruisseau, *m.*, brook.
rusticité, rusticity, boorishness.

S

Sabée, *f.*, Sheba.
sable, *m.*, sand.
sabot, *m.*, hoof.
sabre, *m.*, broad-sword.
saccager, to plunder.

sachet, *m.*, bag.
sacré, –e, sacred.
sacrifier, to sacrifice.
sagacité, *f.*, sagacity, acuteness.
sage, wise, sensible, discreet; *m.*, wise man.
sagement, wisely.
sagesse, *f.*, wisdom, good sense.
saint, –e, holy, sainted, saintly; *m.*, saint.
saisir, to lay hold of, seize; **se** —, to seize, lay hold.
saisissement, *m.*, shock.
saison, *f.*, season.
sale, dirty.
salon, *m.*, drawing-room.
saluer, to salute, greet.
salut, *m.*, safety, salvation; bow.
salutaire, salutary.
sang *m.*, blood.
sang-froid, *m.*, coolness, composure, presence of mind.
sanglant, –e, bloody, bleeding.
sanglot, *m.*, sob.
sangloter, to sob.
sans, without, but, besides.
santé, *f.*, health.
satisfaire, to satisfy.
satisfait, –e, satisfied.
satrape, *m.*, satrap.
Saturne, *m.*, Saturn.
saut, *m.*, leap.
sauter, to jump.
sauvage, wild, savage.
sauver, to save; **se** —, to escape.
sauveur, *m.*, deliverer.
savant, –e, learned, knowing, wise.
savoir, to know, know how.
scélérat, villanous, rascally; *m.*, villain, wretch.
sceptre, *m.*, sceptre.
science, *f.*, knowledge, science.
scrupule, *m.*, scruple.
sculpteur, *m.*, sculptor.
Scythie (la), *f.*, Scythia.
se, himself, herself, itself, themselves, oneself; to himself, *etc.*
sec, **sèche**, dry, unfeeling.
seconde, *f.*, second.
secouer, to shake.
secourir, to help.
secours, *m.*, help, succor.
secr–et, **–ète**, secret.
secret, *m.*, secret.
secrétaire, *m.*, secretary.
secrètement, secretly.
sectateur, *m.*, votary.
secte, *f.*, sect.
secteur, *m.*, sector.
sédentaire, sedentary.
seigneur, *m.*, lord.
sein, *m.*, bosom; (*fig.*) midst.
séjour, *m.*, abode.
selle, *f.*, saddle.
selon, according to, pursuant to.
semblable, similar; *m.*, fellow-creature.
semblant, *m.*, appearance; **faire** —, to seem, pretend.
sembler, to seem, appear.
semer, to sow, strew.
sens, *m.*, sense, judgment, direction.
sensibilité, *f.*, sensitiveness.
sensible, tender, lively, sensitive, perceptible.
sentence, *f.*, sentence, maxim.
sentiment, *m.*, feeling, sentiment, opinion.
sentir, to feel, perceive, savor of.
seoir, to be becoming; *condl.* **siérait**.
séparé, –e, separate, apart.
séparément, separately.
séparer, to separate; **se** —, to separate, part.
sept, seven.
septentrional, –e, northern.
sérail, *m.*, seraglio.
Serendib, ancient name of Ceylon.
serment, *m.*, oath.
serpent, *m.*, snake.
serrer, to tighten, squeeze, put by *or* away.

serviable, obliging.
service, *m.*, service, course.
servir, to serve; **se —,** to wait upon oneself, make use of.
serviteur, *m.*, servant.
seul, –e, only, alone.
seulement, only.
sévère, severe, stern.
si, if, so, whether, yes.
siècle, *m.*, century.
sien, sienne, (le, la), siens, siennes, (les), his, his own, her, her own, its own, one's own. [tain Mr. Paul.
sieur, *m.*, Mr. **un — Paul,** a cer-
signaler, to signalize.
signe, *m.*, sign, nod.
signer, to sign.
signifier, to signify, mean.
singuli–er, –ère, singular.
sinistre, sinister, inauspicious.
sire, *m.*, sire.
sirène, *f.*, mermaid, siren.
Sirien, –ne, inhabitant of Sirius.
situé, –e, situated.
sobre, abstemious, sober.
sobriété, *f.*, abstemiousness.
société, *f.*, society.
sœur, *f.*, sister. [self, itself.
soi, soi-même, oneself, himself,
soie, *f.*, silk.
soigneu–x, –se, careful, mindful.
soigneusement, carefully.
soin, *m.*, care.
soir, *m.*, evening.
soirée, *f.*, evening.
soixante, sixty.
soldat, *m.*, soldier.
soleil, *m.*, the sun.
solennel, –le, solemn.
solennellement, solemnly.
solennité, *f.*, solemnity.
solide, solid, strong.
sombre, gloomy.
somme, *f.*, sum, compendium.
sommeil, *m.*, sleep.
son, sa, ses, his, her, its, one's.
son, *m.*, sound.
songe, *m.*, dream.
songer, to dream, muse, think.
sorcier, *m.*, sorcerer.
sort, *m.*, fate, lot, condition.
sorte, *f.*, kind, sort, species; **de — que,** so that.
sortir, to go out, walk out, come out, escape, gush out.
sortir, *m.*, leaving, quitting.
sot, –te, foolish, senseless.
sou, sol, *m.*, sou, halfpenny.
soucier, to disturb; **se —,** to care, be anxious.
soudain, –e, sudden, suddenly.
souffrir, to endure, permit, suffer.
souhaiter, to wish, wish for.
soulagement, *m.*, relief.
soulager, to relieve. [to revolt.
soulever, to raise, lift up; **se —,**
soumettre, to subject; **se —,** to submit, yield.
soumis, –e, submissive.
soupçon, *m.*, suspicion, distrust.
soupçonnner, to suspect.
souper, to eat supper.
souper, *m.*, supper.
soupir, *m.*, sigh.
source, *f.*, spring, source.
sourd, –e, deaf.
sourire, to smile.
sourire, *m.*, smile.
souris, *f.*, mouse.
sous, under.
soutenir, to hold up, maintain.
souvenir (se), to remember; **il me souvient,** I remember.
souvent, often.
souverain, –e, sovereign.
spécifique, specific.
spirituel, –le, witty, intelligent.
station, *f.*, station, halt.
stupéfait, –e, stupefied, amazed.
subalterne, inferior.
subitement, suddenly.
subjuguer, to subjugate.
submerger, to submerge.
subordonné, –e, subordinate
subside, *m.*, subsidy.

subsister, to subsist, continue.
substance, *f.*, substance.
substantiel, **-le**, substantial.
subtil, **-e**, subtile, acute.
subtilité, *f.*, acuteness.
successeur, *m.*, successor.
successivement, in succession.
succomber, to sink, faint.
sud, *m.*, the south.
suer, to sweat.
sueur, *f.*, perspiration, sweat.
suffire, to suffice.
suffoquer, to suffocate, stifle.
suite, *f.*, continuation, set, coherency, series, consequence; **tout de —**, at once; **de —**, in succession.
suivre, to follow, attend to.
sujet, **-te**, subject, inclined; *m.*, subject, cause.
sultan, **-e**, *m. f.*, sultan, sultana.
superbe, gorgeous, superb.
supérieur, **-e**, upper, superior.
supériorité, *f.*, superiority.
supplice, *m.*, punishment.
supplier, to entreat.
sûr, **-e**, sure, certain.
sur, on, upon, over, above; **— le-champ**, forthwith.
surcharger, to overburden.
sûreté, *f.*, safety, sureness.
surnaturel, **-le**, supernatural.
surtout, above all, chiefly.
survenir, to come on, come up.
suspect, **-e**, suspicious, suspected.
suspens, suspended; **en —**, in suspense.
symptôme, *m.*, token, sign.
Syrie (la), *f.*, Syria.
syrien, **-ne**, Syrian.
système, *m.*, system.

T

tableau, *m.*, picture.
tablette, *f.*, tablet, memorandum-book.
tâcher, to strive, try.
taille, *f.*, cut, size, height, tax; *obs.*, edge (of a sword).
tailler, to cut.
tailleur, *m.*, tailor.
taillon, *m.*, kind of tax.
taire, to suppress; **se —**, to hold one's tongue, keep silence.
talon, *m.*, heel.
tambour, *m.*, drum, drummer.
tandis que, while, whilst.
tant, so much, so many, as well as, so long, as far.
tante, *f.*, aunt.
tantôt, now, presently, a little while ago.
tapis, *m.*, carpet, rug.
tard, late.
tarder, to delay.
tas, *m.*, heap.
tâter, to feel.
taupinière, *f.*, mole-hill.
taureau, *m.*, bull.
taxer, to tax.
te, *pron.*, thee, to thee.
teint, *m.*, color, complexion.
tel, **-le**, such, like, as; **tellement**, so.
téméraire, rash, rash person.
témoignage, *m.*, witness, testimony.
témoigner, to testify, show.
témoin, *m.*, witness.
tempérer, to temper.
tempête, *f.*, tempest, storm.
temps, *m.*, time, season, weather.
tendre, tender, fond, loving.
tendre, to stretch.
tendrement, tenderly.
tendresse, *f.*, tenderness.
tendu, **-e**, stretched.
ténèbres, *f. plur.*, darkness, gloom.
tenir, to hold, owe, keep; **il tient**, *imp.*, to depend upon.
tentation, *f.*, temptation.
tente, *f.*, tent, pavilion.

tenter, to tempt, try.
terme, *m.*, term.
terminer, to end, conclude.
terre, *f.*, the earth.
terrestre, terrestrial.
tête, *f.*, head.
tête-à-tête, *m.*, private interview, alone with.
théatin, -**e**, *m.f.*, theatin, (monk *or* nun).
théurgite, *m. f.*, theurgist, magician.
tien (le), **tienne (la)**, thine, yours.
tigre, *m.*, tiger.
tirer, to draw, obtain, extract, tend, verge.
titre, *m.*, title.
toile, *f.*, linen, web, cloth.
toise, *f.*, six feet, fathom.
tombe, *f.*, tomb, grave.
tombeau, *m.*, tomb, grave.
tomber, to fall.
tombereau, *m.*, cart.
ton, **ta**, **tes**, thy, your.
ton, *m.*, tone.
tonneau, *m.*, cask.
tonnerre, *m.*, thunder.
tordre, to wring.
tort, wrong.
tortue, *f.*, tortoise.
touchant, -**e**, affecting, touching.
touche, *f.*, touch, assay.
toucher, to touch, approach.
toujours, always, ever, still, all the same.
tour, *m.*, turn, round, compass, trick ; — **à** —, by turns.
tourment, *m.*, torment, anguish.
tourmenter, to torment.
tourner, to turn ; **se** —, to turn (oneself) round, become.
tourte, *f.*, tart, pie.
tout, **toute**, *pl.*, **tous**, **toutes**, all, whole ; *noun*, everything ; *adv.*, wholly, entirely, thoroughly.
tracasserie, *f.*, worry, bickering.
trace, *f.*, trace, track.
tracer, to trace.
traduction, *f.*, translation.
traduire, to translate, explain, indict.
tragédie, *f.*, tragedy.
trahir, to betray.
trait, *m.*, shaft, dart, trait, feature.
traiter, to treat, use.
tranquille, quiet, peaceful.
tranquillement, tranquilly.
transport, *m.*, transport, rapture.
transporter, to transport, remove.
travail, *m.*, labor, toil.
travailler, to labor.
travers, *m.*, breadth ; **à** —, through.
traverser, to traverse.
treize, thirteen.
tremblant, -**e**, trembling.
trembler, to tremble.
trentaine, *f.*, about thirty.
trente, thirty.
très, very, much.
trésor, *m.*, treasure, treasury.
trésori-er, -**ère**, treasurer.
tressaillir, to tremble.
tribu, *f.*, tribe.
tribunal, *m.*, court of justice.
triompher, to triumph.
triple, *m.*, triple, three-fold.
triste, sad, mournful.
trois, three.
troisième, third.
tromper, to deceive ; **se** —, to be mistaken.
trompette, *f.*, trumpet ; *m.*, trumpeter.
trône, *m.*, throne.
trop, too much, too many, over, too long, too, very well, exactly.
troupe, *f.*, troop, company.
trouver, to find, meet with, chance upon ; **se** —, to find oneself, be.

tuer, to slay; **se —**, to kill oneself.
tumulte, *m.*, tumult.
tumultueu-x, **-se**, tumultuous.
turlupinade, *f.*, scurvy jest.
Turquie (la), *f.*, Turkey.
tuyau, *m.*, pipe.
Tyr, *f.*, Tyre.
tyran, *m.*, tyrant.
tyrannie, *f.*, tyranny

U

un, **-e**, a, an; one.
unanime, unanimous.
uniformité, *f.*, uniformity.
unique, only, sole.
uniquement, only, solely.
unir, to unite; **s' —**, to join.
univers, *m.*, universe.
usage, *m.*, custom, use.
user, to use, wear out; **en —**, to act, behave.
ustensile, *m.*, utensil.
usure, *f.*, usury.
usuri-er, **-ère**, usurer.
utile, useful.

V

vaillant, **-e**, valiant.
vaincre, to overcome, conquer.
vainqueur, *m.*, conqueror, victor; *adj.*, victorious.
vaisseau, *m.*, vessel.
valet, *m.*, footman, valet.
valeur, *f.*, value, valor.
valoir, to be worth, to procure; **— mieux**, to be better.
vanité, *f.*, vanity.
vanter, to praise; **se —**, to boast.
varié, **-e**, varied.
variété, *f.*, variety.
vase, *m.*, vase; *f.*, mud.
vaste, vast, immense, wide.
vaudeville, *m.*, vaudeville, ballad, comic song.
vautour, *m.*, vulture.
vécu, *past part.* **vivre**, lived.
veille, *f.*, day before.
veiller, to watch.
velours, *m.*, velvet.
vendre, to sell.
veneur, *m.*, huntsman.
vengeance, *f.*, revenge.
venger, to avenge; **se —**, to be revenged.
vengeur, avenging.
venir, to come; **— de**, *w. infinitive*, to have just; **il vient de partir**, he has just gone away.
vent, *m.*, wind.
vente, *f.*, sale; **en —**, for sale.
ventre, *m.*, stomach, womb.
véritable, true, genuine.
véritablement, truly.
vérité, *f.*, truth.
vermine, *f.*, vermin.
vers, *m.*, verse, line; *prep.*, towards.
verser, to pour, shed.
vert, **-e**, green.
vertu, *f.*, virtue, property.
vertueu-x, **-se**, virtuous.
vestale, *f.*, vestal.
veste, *f.*, vest, jacket.
vestibule, *m.*, entrance, hall.
vêtement, *m.*, garment.
vétillard, **-e**, trifler.
vêtir, to clothe, robe.
veu-f, **-ve**, widower, widow.
veuvage, *m.*, widowhood.
vicaire, *m.*, vicar.
victoire, *f.*, victory.
vide, empty.
vie, *f.*, life, livelihood.
vieillard, *m.*, old man.
vieillir, to grow old.
vieux, **vieil**, *m.*, **vieille**, *f.*, old; *noun*, old man, old woman.
vi-f, **-ve**, alive, lively, passionate, sharp.
vil, **-e**, vile, despicable, low.
vilain, **-e**, nasty, villanous, ugly.
ville, *f.*, town, city.

vin, *m.*, wine.
vingt, twenty.
vingtième, *m.*, twentieth.
violemment, violently.
violence, *f.*, fury.
violent, **–e**, violent, passionate.
violer, to violate.
violon, *m.*, violin, violin player.
visage, *m.*, face, countenance, aspect.
vis-à-vis, opposite.
vision, *f.*, vision.
visite, *f.*, visit, call.
visiter, to inspect.
vite, *adv.*, swift; **au plus** —, as fast as possible, quickly.
Vitsnou, Vishnu.
vivant, **–e**, living; *m.*, person living.
vivement, keenly, strongly.
vivifier, to vivify, quicken.
vivre, to live.
vizir, *m.*, vizier.
vœu, *m.*, vow, wish, prayer.
voguer, to move forward, sail.
voici, here is, here are.
voie, *f.*, way, road; — **de fait**, violence.
voilà, behold, there is.
voile, *m.*, veil; *f.*, sail.
voir, to see.
voisin, **–e**, neighboring, neighbor.
voisinage, *m*, neighborhood.
voiture, *f.*, vehicle, carriage.
voix, *f.*, voice, vote, singer; **aller aux** —, to come to the vote.
vol, *m.*, flight, theft.
volée, *f.*, flight, flock.
voler, to fly, soar, steal, rob.
voleur, *m.*, thief.
volonté, *f.*, will.
volontiers, willingly.
volte, *f.*, volt.
voltiger, to flutter about.
volume, *m.*, bulk, volume.
volupté, *f.*, voluptuousness.
voluptueu–x, **–se**, voluptuous.
votre, your; *plur.* **vos**.
vôtre (le), **(la)**, **vôtres (les)**, yours, your own.
vouloir, to will, require, wish; — **dire**, to mean.
vous, you, to you.
voûte, *f.*, arch, roof.
voyage, *m.*, journey, voyage.
voyager, to travel.
voyageu–r, **–se**, traveller.
vrai, **–e**, true, genuine, downright.
vue, *f.*, sight, design, eyes.

Y

y, *adv.*, there, thither, at home; *pron.*, him, her, it, them, in it, to him, *etc*
yeux, *pl. of* **œil**, eye.

Z

zèle, *m.*, zeal.
Zend, *m.*, Zend.
Zoroastre, *m.*, Zoroaster.